대한심폐소생협회

기본소생술
Korean Basic Life Support (KBLS)

심장정지인지·구조요청 | 목격자 심폐소생술 | 제세동 | 전문소생술 | 소생후 치료

119

AED

Second Edition

대한심폐소생협회
Korean Association of CardioPulmonary Resuscitation

대한심폐소생협회
기본소생술

첫째판 1쇄 발행 | 2018년 9월 12일
첫째판 2쇄 발행 | 2019년 6월 10일
둘째판 1쇄 인쇄 | 2021년 11월 25일
둘째판 1쇄 발행 | 2021년 12월 8일
둘째판 2쇄 발행 | 2022년 6월 8일
둘째판 3쇄 발행 | 2022년 9월 19일
둘째판 4쇄 발행 | 2023년 6월 7일
둘째판 5쇄 발행 | 2023년 8월 25일
둘째판 6쇄 발행 | 2024년 7월 25일

지 은 이   대한심폐소생협회
발 행 인   장주연
출 판 기 획   최준호
편집디자인   조원배
표지디자인   김재욱
일 러 스 트   유학영
발 행 처   군자출판사(주)
　　　　　　등록 제 4-139호(1991. 6. 24)
　　　　　　본사 (10881) **파주출판단지** 경기도 파주시 회동길 338(서패동 474-1)
　　　　　　전화 (031) 943-1888   팩스 (031) 955-9545
　　　　　　홈페이지 | www.koonja.co.kr

ISBN 979-11-5955-785-9
정가 10,000원

대한심폐소생협회

기본소생술

Korean Basic Life Support (KBLS)

Second Edition

집필진(둘째판)

(가나다 순)

대표저자   대한심폐소생협회

김강님   (강동성심병원 심혈관조영실)

김재범   (계명의대 계명대학교 동산병원 흉부외과)

김진욱   (경동대학교 응급구조학과)

류지호   (부산의대 양산부산대학교병원 응급의학과)

박승민   (서울의대 분당서울대학교병원 응급의학과)

박창제   (서울특별시 보라매병원 응급의료센터)

송소현   (대구보건대학교 간호학과)

이동건   (서울의대 분당서울대학교병원 응급의학과)

이명렬   (경동대학교 응급구조학과)

이정아   (한림의대 동탄성심병원 응급의학과)

이창희   (남서울대학교 응급구조학과)

장용수   (한림의대 강남성심병원 응급의학과)

조규종   (한림의대 강동성심병원 응급의학과)

조영석   (한림의대 강동성심병원 응급의학과)

최일국   (천안충무병원 응급의학과)

황 용   (원광의대 원광대학교병원 응급의학과)

집필진(첫째판)

(가나다 순)

대표저자　대한심폐소생협회

고은실　(대한심폐소생협회)

김남호　(원광의대 원광대학교병원 순환기내과)

김동원　(한림의대 춘천성심병원 응급의학과)

김수연　(강동대학교 의무부사관과)

노대호　(대한적십자사 충북지사)

박선영　(백석대학교 간호학과)

박현경　(경희의대 강동경희대학교병원 응급의학과)

손유동　(서울의대 서울특별시 보라매병원 응급의학과)

송근정　(성균관의대 삼성서울병원 응급의학과)

송소현　(대구보건대학교 간호대학)

오윤희　(서울아산병원 시뮬레이션센터)

이중의　(성균관의대 삼성서울병원 응급의학과)

이창희　(남서울대학교 응급구조학과)

장용수　(한림의대 강남성심병원 응급의학과)

조규종　(한림의대 강동성심병원 응급의학과)

조영석　(한림의대 강동성심병원 응급의학과)

지현경　(백석대학교 응급구조학과)

차경철　(연세원주의대 원주세브란스기독병원 응급의학과)

최혜경　(을지대학교 응급구조학과)

한미라　(목포가톨릭대학교 간호학과)

홍상현　(가톨릭의대 서울성모병원 마취통증의학과)

황지원　(인천소방본부 공단소방서)

머리말

    보건의료기관의 질 평가가 강조되고 있는 근래에는 보건의료인에 대한 체계적인 기본소생술 교육의 중요성이 지속적으로 증가되고 있다. 이에 대한심폐소생협회는 2005년 미국심장협회(American Heart Association)와 교육계약을 체결한 이래로 현재까지 보건의료인 대상으로 미국심장협회의 기본소생술 교육을 시행해 오고 있다. 미국심장협회의 기본소생술 교육과정은 동영상을 보고 따라하는 방식으로 구성되어 있기 때문에 기본소생술에 대한 체계적인 실습이 가능하며, 더불어 유기적인 강사 및 교육생 관리가 함께 시행됨에 따라 현재에는 우리나라 보건의료인의 필수교육 중의 하나로 인식되고 있다. 실제로 현재는 대한심폐소생협회 산하 220여 개의 기본소생술 교육센터(BLS training site)에서 매년 약 3,000회 이상의 기본소생술 교육이 시행되고 있으며, 매년 약 38,000여 명의 보건의료인들이 교육을 이수하고 있다.

    또한 2018년에는 국내 보건의료 환경에 부합되는 대한심폐소생협회의 기본소생술 교육과정(Korean BLS course)이 개발되었으며, 이후 매년 약 450회의 교육이 약 7,500여 명의 보건의료인을 대상으로 실시되고 있다. 실제로 대한심폐소생협회의 기본소생술 교육과정은 병원밖 심장정지 상황과 함께 의료기관 내에서 발생되는 심장정지 상황을 함께 고려하고 있으며, 국내 의료기관의 현실에 발맞추어 프로그램이 구성되어 있기 때문에 보건의료 현장에서 즉시 활용될 수 있다. 향후 이 교육과정이 우리나라 보건의료인의 기본소생술 교육을 대표하는 프로그램으로 발전할 것을 믿어 의심치 않으며, 이 교재가 보다 충실한 교육이 실시되는 데 큰 역할을 할 것으로 기대한다. 이 교재는 2020년 개정된 한국심폐소생술 가이드라인을 토대로 개정되었으며, 동영상에 따라 진행되는 대한심폐소생협회 기본소생술 교육과정에서 보충해야 될 학술적인 내용과 술기평가 및 필기평가에 도움이 되는 내용을 함께 기술하였다.

    대한심폐소생협회 기본소생술 교육과정 교재를 개정함에 있어 수고해 주신 모든 집필진께 감사의 말씀을 드리며, 향후 이 교재가 심장정지 환자의 진료에 실질적인 도움이 되기를 기대한다.

대한심폐소생협회 BLS 위원장

조 규 종

목차

기본소생술(대한심폐소생협회)
과정 소개

1. 과정 소개

'기본소생술(대한심폐소생협회) 과정'은 심장정지 발생 현장에서 즉각적으로 시행되어야 하는 기본소생술에 관한 이론과 술기를 익히는 과정이다. 이 과정은 2020년 개정된 한국심폐소생술 가이드라인을 토대로 개정되었으며, 신생아를 제외한 모든 연령의 심장정지 환자에 대한 기본소생술과 자동제세동기 사용법, 이물질 처치법 등을 포함하고 있다. 수강생들은 이 과정을 통해 병원밖 심장정지 환자뿐 아니라 병원내 심장정지 환자에게 고품질의 심폐소생술을 시행할 수 있게 됨으로써 심장정지 환자의 생존율 향상에 이바지할 수 있다.

2. 학습목표

① 생존사슬의 요소와 의미를 숙지한다.
② 성인, 소아, 영아에게 고품질의 기본소생술을 할 수 있다.
③ 성인, 소아, 영아에게 자동제세동기를 사용할 수 있다.
④ 수동제세동기 사용법을 숙지한다.
⑤ 인공호흡 장비를 사용할 수 있다.
⑥ 소생팀의 역할을 이해하고 적용할 수 있다.
⑦ 이물질에 의한 기도폐쇄를 처치할 수 있다.

3. 운영원칙

이 과정이 대한심폐소생협회의 '기본소생술 과정'으로 인정받기 위해서는 아래의 운영원칙을 모두 충족하여야 한다.

항 목	원 칙
강 사	유효한 기본소생술(KBLS) 강사 자격증을 가진 사람
교 육 생	보건의료인(한국보건의료인 국가시험원 직종 25종) 및 학부생
강사 대 교육생 비율	강사 : 교육생 = 1 : 6 (최대)
실습 장비	• 성인 마네킹 : 교육생 = 1 : 3 (최대) • 영아 마네킹 : 교육생 = 1 : 3 (최대) • 교육용 자동제세동기 : 교육생 = 1 : 3 (최대) • 성인 백마스크 : 교육생 = 1 : 3 (최대) • 영아 백마스크 : 교육생 = 1 : 3 (최대) • 페이스쉴드(face shield) : 교육생 = 1 : 1
교육 프로그램	기본소생술(대한심폐소생협회) 과정

한국보건의료인 25개 직종
1.의사 2 치과의사 3.한의사 4.간호사 5.조산사
6.약사 7.한약사 8.임상병리사 9.방사선사 10.물리치료사
11.작업치료사 12.치과기공사 13.치과위생사 14.본건의료정보 관리사 15.안경사
16.영양사 17.위생사 18.응급구조사 19.의지-보조기기사 20.언어재활사
21.보건교육사 22.요양보호사 23.간호조무사 24.장애인재활상담사 25.보조공학사

4. 합격 기준

아래의 합격 기준을 모두 충족하여야 한다.

항 목	원 칙
교육시간	전체 교육시간의 90% 이상 참석
필기시험	25문제 중 84% 이상(21문제 이상) 득점
술기평가	술기평가에 통과

CHAPTER

2

심장정지 생존을 위한 환경과 생존사슬

1. 심장정지

심장정지는 심장의 박동이 정지되어 발생하는 일련의 상태를 말한다. 심장의 박동이 정지되면 각 조직으로의 혈류가 중단되며, 이에 따라 조직의 생체활동을 유지하는 데 필수적인 산소와 영양소의 공급이 중단되어 조직의 기능이 정지된다. 조직으로의 혈류가 중단된 상태가 계속되면 세포가 괴사되고 각 기관의 기능이 비가역적으로 상실되어 사망에 이르게 된다.

1) 심장정지의 원인

급사를 초래하는 심장정지의 원인은 일차적으로 심장기능의 장애로 인하여 심장정지가 발생하는 심장성(cardiogenic) 심장정지와 심장질환 이외의 다른 질환에 의한 합병증으로 심장정지가 발생하는 비심장성(non-cardiogenic) 심장정지로 구분할 수 있다.

심장성 심장정지의 주요 원인은 관상동맥질환이다. 동맥경화에 의한 급성 심근경색, 관상동맥 연축 등 다양한 관상동맥 질환에 의한 심근허혈이 심장정지를 유발한다. 심장이 정상적인 기능을 유지하더라도 다른 장기의 기능부전에 의하여 이차적으로 심장정지가 유발되는 비심장성 심장정지의 흔한 원인으로는 폐질환이나 기도폐쇄에 의한 호흡부전을 들 수 있다.

여러 원인들 중에서 흔히 발생하는 가역적인 요인들을 앞글자를 따서 5H와 5T

5

로 정리할 수 있는데, 이는 Hypovolemia(저혈량증), Hypoxia(저산소증), Hydrogen ion(대사성 산증), Hypo/Hyperkalemia(저/고칼륨혈증), Hypothermia(저체온증), Tension pneumothorax(긴장성 기흉), Tamponade (Cardiac, 심장눌림증), Thrombosis (coronary, 급성 관상동맥 증후군), Thrombosis (pulmonary, 폐동맥색전증), Toxins(중독) 등이며 이들의 원인을 찾아 교정하지 않으면 심장정지는 재발할 수 있다.

표 2-1. 심장정지의 가역적인 요인(5H's & 5T's)

5H's	5T's
Hypovolemia (저혈량증)	Tension pneumothorax (긴장성 기흉)
Hypoxia (저산소증)	Tamponade, cardiac (심장눌림증)
Hydrogen ion (대사성 산증)	Thrombosis, coronary (급성관상동맥 증후군)
Hypo/Hyperkalemia (저/고칼륨혈증)	Thrombosis, pulmonary (폐동맥색전증)
Hypothermia (저체온증)	Toxins (중독)

2) 심장정지에서 관찰되는 심장리듬

심장정지에서 관찰되는 부정맥은 크게 다음의 3가지로 구분할 수 있다.

첫째, 심실세동(ventricular fibrillation; VF)이나 무맥성 심실빈맥(pulseless ventricular tachycardia)과 같은 심실부정맥으로 심장성 심장정지 환자의 60-85%에서 발견되며 신속한 제세동 처치로 소생시킬 수 있다(그림 2-1,2,3,4,5).

그림 2-1. Mega VF 10-15 mm

그림 2-2. Coarse VF 5-10 mm

그림 2-3. Fine VF 0-5 mm

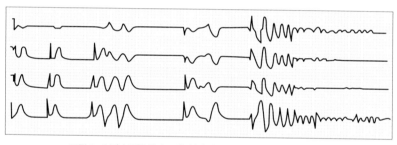

그림 2-4. 가슴통증을 호소한 환자에서 심전도 촬영 중 발생한 VF

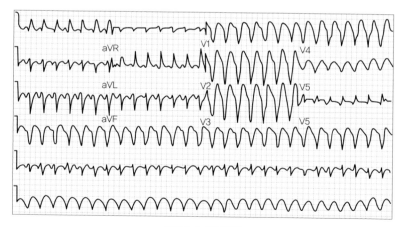

그림 2-5. 심실빈맥

둘째, 무맥성 전기활동(pulseless electrical activity, PEA)으로 심전도에서 심장의 전기활동은 관찰되지만 맥박이 촉지되지 않는 상태이다(그림 2-6,7).

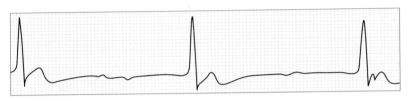

그림 2-6. 심실고유리듬에 의한 무맥성 전기활동

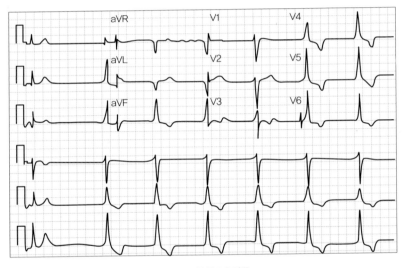

그림 2-7. 심실고유리듬

셋째, 전기적 활동이 없는 무수축(asystole)이다. 무수축에 의한 심장정지는 대부분 서맥성 부정맥에 의하여 발생하지만 서맥이 진행되지 않고 갑자기 무수축이 발생하는 경우도 있다(그림 2-8).

심전도 리듬에 따라 심실세동과 무맥성심실빈맥은 제세동이 필요하며, 무맥성전기활동과 무수축 리듬은 제세동이 불필요한 리듬이다(그림 2-8).

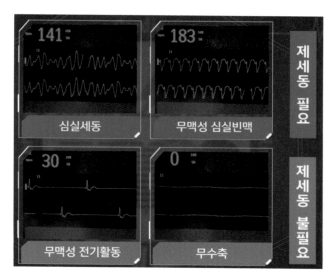

그림 2-8. 심장정지에서 관찰되는 심장리듬

3) 경과 단계

심장정지가 발생한 직후의 경과는 심장정지 발생 후로부터의 시간 경과에 따라 세 단계로 구분할 수 있다(그림 2-9).

첫 단계는 전기 시기(electrical phase)로 심장정지가 발생한 후부터 약 4-5분까지의 시기이다. 이 시기는 심장정지가 발생하였지만 아직 조직의 손상이 없는 시기로서 심박동이 회복되면 신체의 조직 손상 없이 회복될 수 있다. 이 시기에는 심실세동에 대한 제세동술이 심폐소생술보다도 중요한 치료이다. 또한 이 시기에 심박동이 회복되어야 조직의 손상이 없기 때문에 가능한 빠른 시간에 제세동이 시행될 수 있도록 응급의료체계를 유지해야 한다.

두 번째 단계는 순환 시기(circulatory phase)로, 심장정지가 발생한 후 4-5분부터 10분 정도까지의 시기이다. 이 시기에는 조직의 ATP (Adenosine triphosphate)가 급격히 고갈되고, 허혈에 의한 조직 손상이 시작되는 시기이다. 따라서 심폐소생술(특히 가슴압박)을 시행하여 조직으로의 산소 공급을 유지하는 것이 가장 중요한 치료이며, 심폐소생술 후에 제세동을 시행한다. 또한 약물 투여 등 전문소생술을 시행하여 조직으로의 관류압을 유지해 주어야 한다.

세 번째 단계는 대사 시기(metabolic phase)로 심장정지로부터의 경과시간이 10분 이후의 시기이다. 이 시기에는 장 내 세균의 혈액 내 전이 등, 혈액 내로 유출된 여러 가지 물질(시토카인, sytokines)에 의하여 전신성 염증 반응 증후군(systemic inflammatory response syndrome)과 유사한 전신 반응이 발생한다. 이 시기의 치료로는 조직 관류압의 유지, 뇌 및 조직 손상을 줄이기 위한 다양한 약제의 투여 등이 시도되고 있다. 소생 후에는 저체온 요법 등으로 추가적인 뇌손상을 줄이는 시도가 비교적 효과적인 것으로 알려졌다.

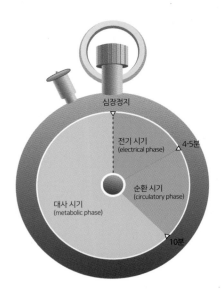

그림 2-9. 심장정지 발생직후의 경과 단계

4) 사망의 과정

사망의 과정은 심장정지가 발생한 이후부터 시작된다(그림 2-10). 심장정지가 발생한 직후의 상태를 임상적 사망이라 하며, 조직이 비가역적으로 손상되어 회복될 수 없는 상태를 생물학적 사망이라 한다. 심폐소생술의 의의는 임상적 사망상태의 환자를 소생시키는 것이다.

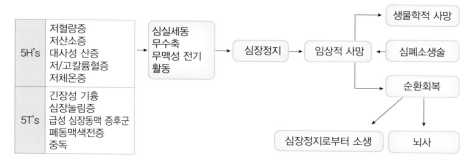

그림 2-10. 사망의 과정과 심폐소생술. 심장정지가 발생한 직후인 임상적 사망상태의 환자는 심폐소생술에 의하여 소생될 수 있다. 임상적 사망상태에서 심폐소생술이 시행되지 않거나 심폐소생술에 의하여 심박동이 회복되지 않으면 생물학적 사망에 이르게 된다(출처: 황성오.임경수[2021] 심폐소생술과 전문 심장소생술).

2. 심장정지 생존 환경

심장정지 환자를 치료하는 과정에는 다양한 요소가 관계되므로, 심장정지 환자의 생존을 위한 환경을 구축하기 위해서 체계적 접근이 필요하다. 심장정지 예방부터 효과적 치료 및 재활에 이르기까지 심장정지로 인한 사망을 줄이기 위한 필수적인 의학적 요소와 비의학적 요소들이 있고, 이러한 요소들을 지원하거나 효율적으로 만드는 사회 요소들을 심장정지 생존 환경이라고 한다. 일단 심장정지가 발생한 이후에는 효과적인 소생술을 하더라도 생존율이 낮으므로 심장정지로 인한 사망을 줄이는 중요한 수단은 예방이다. 심장정지로 인한 사망을 최소화하기 위해 국민이 심장정지를 인지하고 심폐소생술을 할 수 있도록 교육하고, 효과적으로 치료하기 위한 심장정지 치료 체계를 구축해야 한다. 효과적인 심장정지 치료 체계의 구축이 심장정지 환자의 생명을 구하는 데에 가장 중요하다. 따라서 심장정지 생존환경에는 심장정지 예방, 심폐소생술 교육, 심장정지 치료 체계, 평가와 질 관리가 포함된다.

1) 심장정지 예방 – 신속대응팀 운영
병원밖 급성심장정지 발생률은 증가하고 있다. 또한 관상동맥질환, 심부전, 심장부정맥을 포함한 고위험 심장질환이 있는 경우에 심장정지 발생 가능성이 크다. 그러나 발생 원인에 따른 심장정지 환자의 구성을 보면, 특별한 심장질환이 없는 정상인 또는 심장질환의 일반적 위험인자를 가진 만성질환자가 고위험 심장질환이 있는 환자보다 더 많다. 심장정지 환자의 8-9% 정도의 환자만이 생존하여 퇴원하고, 생존환자 중에서도 절반 정도는 신경학적 손상으로 일상생활에 복귀할 수 없는 경우가 많다. 따라서 심장정지의 원인과 발생 요인을 규명하여 심장정지 발생의 고위험군을 찾아내고 관리함으로써 심장정지 발생을 예방해야 한다.

병원내에서도 예측되지 않은 심장정지가 발생하기 때문에 병원에 내원하거나 입원해 있는 환자의 심장정지를 예방하고 치료하기 위한 방안을 마련해야 한다. 이를 위하여 병원은 환자의 증상 또는 징후를 감시하여 심장정지의 조기 경고 징후(early warning signs)를 찾아내고 환자의 위기 상황에 대처할 수 있는 신속대응팀(rapid response team)을 운영해야 한다.

2) 심폐소생술 교육 – 전문소생술 교육

병원밖 심장정지 환자는 최초 발견자 및 목격자에 의해 신속하게 인지되고 구조요청이 이루어져야 한다. 더불어 고품질의 목격자 심폐소생술이 신속하게 실시되어야 한다. 목격자가 심폐소생술을 시행하게 되면 심장정지 환자의 생존율은 2-3배 증가된다. 따라서 목격자 심폐소생술 시행 여부는 병원밖 심장정지의 생존을 결정하는 중요한 요소이다. 목격자에 의한 심폐소생술 시행률을 높이기 위해서는 국민에게 심폐소생술 교육이 이루어져야 하고, 심폐소생술을 교육하려면 교육 강사와 적합한 시설 및 교육 장비를 갖추고 교육의 수준과 질을 평가해야 한다.

병원내에서는 기본소생술 및 전문소생술 교육이 필요하다. 심장정지 소생팀 중 전문소생술 교육을 받은 구성원이 있는 경우에 생존율이 높아진다. 심장정지 치료를 담당하는 의료종사자는 전문소생술 교육이 필요하다.

3) 심장정지 치료체계

병원밖 심장정지 환자의 소생을 위한 사회 환경과 의료체계를 심장정지 치료체계(cardiac arrest treatment system)라고 한다. 심장정지 치료체계는 응급의료체계와 더불어 심장정지 치료와 연관된 인적 및 물적 자원, 지원체계, 정책, 제도 등을 모두 포함한다. 이러한 심장정지 치료체계를 위해서는 일반인 제세동, 구급상황(상담)요원의 역할 강화, 정보통신기술의 활용, 심장정지 치료센터의 역할이 매우 중요하다.

① 일반인 제세동(public access defibrillation)

일반인 제세동 프로그램은 공공장소에 자동제세동기(자동심장충격기)를 설치하여 심장정지가 발생했을 때 일반인 구조자가 제세동하는 것이다. 자동제세동기 설치 의무화로 다중이용시설 등 심장정지 발생 가능성이 큰 장소에 자동제세동기가 설치되고 있지만 실제로 일반인 제세동이 시행되는 경우는 매우 드물다. 비의료인 구조자는 사용법의 미숙지, 의료기기 사용에 대한 두려움, 사용 결과에 따른 책임에 대한 걱정 때문에 자동제세동기를 사용하지 않는 경우가 많다. 국가 및 지역사회는 자동제세동기의 보급과 더불어 심폐소생술 교육과정에서 자동제세동기의 유용성, 안전성, 사용방법, 선의의 응급의료제공자에 대한 법적 보호에 대하여 체계적인 교육을 실시함으로써 일반인 제세동 프로그램을 강화해야 한다.

② 구급상황(상담)요원 역할

구급상황(상담)요원은 목격자와 응급의료체계를 연결함으로써 심장정지 환자의 생존을 위한 전문 치료가 시작되게 하는 역할을 한다. 휴대전화의 보급으로 목격자와 구급상황(상담)요원과의 실시간 통화(또는 영상 통화)가 가능해져 심장정지 구조 과정에 긍정적 영향을 주고 있다. 병원밖 심장정지를 치료하는 과정에서 구급상황(상담)요원은 목격자와의 실시간 통화(또는 영상 통화)로 목격자가 심장정지를 인지하고 심폐소생술을 하도록 도움을 줄 수 있다. 구급상황

(상담)요원이 신고자와 통화할 때 심폐소생술을 시작하는 시간을 단축할 수 있도록 정형화된 프로토콜을 사용해야 한다. 구급상황(상담)요원의 역할을 강화하여 신고자에게 전화 도움 심폐소생술을 하도록 지도할 경우, 병원밖 심장정지 생존율을 높일 수 있다.

③ 정보통신기술의 활용

정보통신기술이 발달함에 따라 다양한 방식으로 심장정지 발생을 주변 사람에게 알릴 수 있다. 병원밖 심장정지 목격자가 심장정지 발생을 주변 사람에게 알리면 심폐소생술을 하거나 자동제세동기를 현장에 가져오게 하는 데에 도움을 받을 수 있고, 병원밖 심장정지 목격자가 휴대전화의 위치 정보와 문자메시지를 사용하여 심장정지 발생을 알리면 심장정지 환자의 생존 퇴원율을 증가시킬 수 있다. 또한 심장정지 신고를 받은 후 미리 등록된 심폐소생술 훈련을 받은 자원봉사자에게 위치 정보를 알려줄 경우, 목격자 심폐소생술 시행률이 높아진다.

④ 심장정지 치료센터

심장정지로부터 순환이 회복된 환자는 소생 후 통합 치료와 원인을 찾고 치료하기 위한 집중 치료가 필요하다. 집중 치료가 가능한 중환자실, 목표체온유지치료, 관상동맥조영술 및 경피관상동맥중재술, 소생 후 신경학적 예후를 판단하기 위한 검사 시설을 갖춘 심장정지 치료센터(cardiac arrest center)가 있는 의료기관에서 심장정지 환자를 치료해야 한다. 이를 위하여 국가 또는 지역사회는 심장정지 치료센터를 지정하고, 기능 및 시설에 대한 기준을 정할 필요가 있다.

4) 평가와 질 관리(질 향상 활동)

심장정지 치료 체계의 효율성을 향상시키려면 심장정지 치료 과정 및 결과에 대한 모니터링, 평가와 질 관리가 필요하다. 심장정지 치료체계 수행도 평가를 위해 결과지표로 생존율, 뇌기능 회복 생존율 등을 이용하고, 과정지표로는 심폐소생술 교육 현황, 목격자 심폐소생술 시행률, 자동제세동기 사용률, 구급차 현장 도착시간, 현장 심폐소생술 동안 구급대원의 소생 술기 시행 능력을 포함한 응급의료체계의 효율성, 병원내 소생술 지표 등을 함께 모니터링하여 평가한다. 각 지표에 대한 국가 또는 지역사회의 목표치를 설정하여 목표를 달성하기 위해 계획을 수립하고 실행해야 한다. 병원은 신속대응팀의 활동, 직원의 심폐소생술 교육 이수율, 병원내 심폐소생술 수행도, 목표체온유지치료를 포함한 병원내 중재 시행률, 생존율 및 뇌기능회복 생존율을 포함한 지표를 모니터링하여 병원내 소생술의 질을 관리해야 한다.

3. 생존사슬

생존사슬(chain of survival)은 심장정지가 발생한 사람의 생명을 구하기 위해 실행되어야 하는 가장 중요한 요소의 연결고리이다. 심장정지가 발생했을 때 생존사슬의 각 요소가 효과적으로 실행되면 심장정지 환자의 생존 가능성이 커진다. 생존사슬의 첫 단계는 환자를 발견한 목격자가 심장정지 발생을 인지하고 신속히 구조를 요청하는 과정으로 시작된다. 둘째 단계는 심장정지 환자에게 목격자가 가능한 한 빨리 심폐소생술을 시행하는 것이다. 셋째 단계는 충격필요리듬을 치료하기 위하여 자동제세동기를 사용하여 제세동하는 것이다. 넷째 단계는 관찰되는 심전도 리듬에 따라 제세동, 약물 투여, 전문기도유지술 등 치료를 하는 전문소생술 단계이다. 다섯째 단계는 자발순환이 회복된 환자에게 원인을 교정하고 목표체온유지치료를 포함한 소생후 통합 치료와 생존자에 대한 재활 치료를 하는 것이다.

생존사슬은 병원밖 심장정지와 병원내 심장정지로 분리된다. 병원밖 심장정지 생존사슬에는 심장정지 인지와 구조요청-목격자 심폐소생술-제세동-전문소생술-소생 후 치료로 구성되고, 병원내 심장정지 생존사슬은 조기인지와 소생팀 호출-고품질 심폐소생술-제세동-전문소생술-소생 후 치료로 구성된다.

그림 2-11A. 병원밖 심장정지 생존사슬

그림 2-11B. 병원내 심장정지 생존사슬

생존사슬의 각 요소는 국가 및 지역사회 또는 의료기관의 심장정지 생존 환경에 영향을 받는다. 병원밖 심장정지 생존 환경의 중요한 요소는 심장정지 예방, 심폐소생술 교육, 심장정지 치료체계 구축, 평가 및 질 관리이다. 병원내 심장정지 생존 환경의 중요한 요소는 신속대응팀 운영, 전문소생술 교육, 병원내 심장정지 치료체계 구축, 평가 및 질 관리이다. 심장정지 생존 환경은 생존사슬의 각 요소를 효율화함으로써 생존사슬을 강화한다.

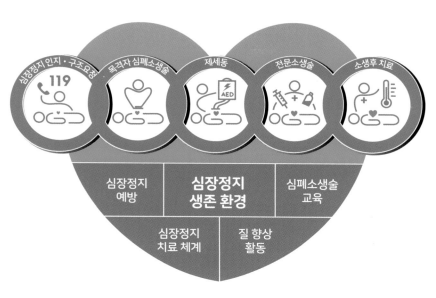

그림 2-11C. 병원밖 심장정지 생존사슬

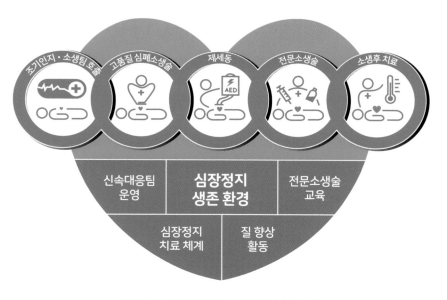

그림 2-11D. 병원내 심장정지 생존 환경과 생존사슬

1) 심장정지 인지(병원밖 심장정지)·조기 인지(병원내 심장정지)와 구조요청

생존사슬의 첫 번째는 심장정지를 인지하고 구조요청하는 것이다. 목격자가 심장정지 발생을 신속하게 인지하여 구조 요청을 하면 심장정지 치료가 빨리 시작되어 심장정지 생존율이 향상된다. 심장정지의 통상적인 임상 증상은 의식 소실, 무호흡, 무맥박이지만 심장정지가 발생한 직후 심장정지 호흡(agonal gasp)이나 경련이 발생할 수 있다. 특히 심장정지 호흡(agonal gasp)과 경련은 심장정지로 판단하기 어려울 수 있으므로, 심폐소생술 교육과정에 심장정지 인지에 관한 내용에서 심장정지 호흡(agonal gasp)과 심장정지 후 발생할 수 있는 경련의 가능성을 포함한 심장정지 임상 증상에 대한 교육이 필요하다. 그러나 목격자는 당황하여 심장정지를 인지하는 시간이 길어지기 때문에 심장정지를 인지하는 데 구급상황(상담)요원의 도움이 필요할 수 있다. 따라서 구급상황(상담)요원은 응급 신고전화를 받았을 때 환자가 심장정지 상태인지를 판단할 수 있도록 교육을 받아야 하며, 심장정지를 판단하기 위한 표준화된 알고리즘과 기준을 사용해야 한다. 병원에서는 심장정지 발생 전에 나타나는 조기 경고 징후 지표를 사용하고 심장정지 발생을 예방하고 대응할 수 있는 신속반응팀(rapid response team, 또는 원내응급팀: medical emergency team)을 운영해야 한다.

　　구조 요청은 목격자가 심장정지를 인지한 후 가장 먼저 해야 하는 행위이다. 병원밖에서는 목격자가 주변 사람에게 구조를 요청하고 119에 전화를 함으로써 응급의료체계가 활성화된다. 병원내에서는 주변 의료인에게 도움을 요청하고 (전문)소생팀을 호출함으로써 구조요청 과정이 수행된다.

2) 심폐소생술

두 번째 생존사슬단계는 심폐소생술이다. 병원밖 심장정지 구조 과정에서 목격자는 구조 요청 후 즉시 심폐소생술을 시작해야 한다. 목격자에 의한 심폐소생술이 시행된 경우에는 시행되지 않은 경우보다 심장정지 환자의 생존율이 약 2-3배 높아진다. 따라서 학교, 군대, 집단거주지, 직장, 공공기관 등에서는 심폐소생술 교육이 필요하다. 병원밖 심장정지 환자에게 가슴압박소생술을 한 경우

와 표준 심폐소생술(인공호흡 포함)을 한 경우에 생존율 차이는 없다고 알려졌다. 따라서 병원밖에서 일반인 목격자가 심폐소생술을 할 때, 인공호흡을 잘 모르거나 할 수 없는 경우에는 가슴압박소생술을 하도록 한다. 또한 목격자가 심폐소생술을 교육받지 못한 경우라면 가슴압박소생술을 할 수 있게끔 구급상황(상담)요원이 전화 도움 심폐소생술을 시행한다. 병원내에서도 심장정지를 인지한 직원은 즉시 기본소생술을 해야 한다. 병원 직원은 주기적으로 심폐소생술 훈련을 받아야 하며, 심장정지 환자에게 고품질의 심폐소생술을 제공해야 한다.

3) 제세동

세 번째 생존사슬 단계는 제세동이다. 심실세동의 유일한 치료방법은 제세동이다. 심실세동이 발생한 후에는 제세동이 1분 지연될 때마다 제세동 성공 가능성이 7-10%씩 감소한다. 구급대원이 도착하는 것을 기다리며 시간을 낭비하지 말고 목격자가 가까운 곳에 있는 자동제세동기를 이용해 빠르게 자동제세동기를 사용해야 한다. 따라서 병원밖 환경에서 신속한 제세동을 위해 일반인 제세동 프로그램이 확산되고 활성화되어야 한다. 공공장소에 자동제세동기를 설치하고 심장정지가 발생했을 때 일반인이 자동제세동기를 사용하는 일반인 제세동 프로그램은 병원밖 심장정지 생존율을 높이는 데에 기여하고 있다. 우리나라는 법률을 제정하여 다중이용시설을 포함한 공공장소 또는 거주지에 자동제세동기 설치를 의무화하고 있지만, 일반인에 의한 자동제세동기 사용 빈도는 높지 않다. 따라서 일반인 제세동 프로그램을 위해서는 자동제세동기 설치뿐 아니라 자동제세동기 사용을 활성화할 수 있는 방안을 모색해야 한다. 병원내에서도 신속한 제세동을 위하여 필요한 장소에 자동제세동기를 설치하고 직원을 교육하여 심장정지가 발생했을 때 즉시 사용할 수 있도록 해야 한다.

4) 전문소생술

생존사슬의 네 번째 단계는 전문소생술이다. 병원밖 심장정지 치료과정에서 현장 구급대원은 의료지도(medical control)를 받아 약물투여 경로 확보, 에피네프

린 투여, 전문기도기 삽관을 포함한 전문소생술을 시행한다. 하지만 현장에서의 전문소생술이 병원밖 심장정지 환자의 생존율을 높이는지에 대해서는 논란이 있기 때문에, 구급대원은 현장 심폐소생술을 하는 과정에서 지도 의사의 의료지도에 따라 전문소생술을 시행하고 환자의 이송 시기를 결정해야 한다. 또한 구급대원은 전문소생술과 소생후 통합 치료가 가능한 병원으로 이송하도록 해야 한다. 병원내 심장정지 치료 과정에서 전문소생술팀은 통상적인 제세동, 약물 투여와 더불어 가용한 경우에 현장 진료 초음파의 사용, 체외순환 심폐소생술을 포함한 고도의 전문소생술 시행을 고려해야 한다. 체외순환 심폐소생술을 포함한 고도의 전문소생술이 시행되는 빈도가 낮으므로, 병원 전문소생술팀은 고도의 전문소생술을 신속히 시행할 수 있도록 훈련되어야 한다.

5) 소생 후 치료

생존사슬의 마지막 단계는 소생 후 치료이다. 자발순환이 회복된 심장정지 환자에서 허혈과 재관류로 발생되는 심장정지 후 증후군(post-cardiac arrest syndrome)으로 사망하는 경우가 많다. 따라서 자발순환이 회복된 모든 심장정지 환자는 집중치료시설에 입원하여 집중 감시, 심장정지 원인 규명을 위한 검사, 심장정지 후 증후군에 대한 치료를 포함한 소생 후 치료를 받아야 한다. 소생 후 치료에는 폐 환기 유지, 혈역학 감시, 중환자 집중 치료와 더불어 목표체온유지치료, 급성관상동맥증후군에 대한 응급관상동맥조영술 및 경피관상동맥중재술, 심장정지 원인 치료, 신경학적 예후를 평가하기 위한 검사 등이 포함된다. 효율적인 소생 후 치료를 제공하여 심장정지 환자의 사망률을 줄이려면 집중치료를 위한 중환자실이 있어야 하며, 목표체온유지치료를 위한 시설, 24시간 관상동맥조영술 및 경피관상동맥중재술이 가능한 시설, 인력 및 장비가 필요하다.

심장정지 생존자는 일상생활로의 복귀를 위해 인지장애를 포함한 신경학적 손상에 대한 체계적인 평가 결과를 바탕으로 세워진 계획에 따라 재활 치료를 받아야 한다.

CHAPTER

3

심장정지 환자에서 고품질 기본소생술 시행의 중요성

기본소생술은 심폐소생술과 제세동의 개념을 포함한다. 생존사슬의 관점에서 보건의료인에 의한 전문소생술이 이루어지기 이전에 기본소생술이 충실히 수행 되지 못하면 심장정지 환자의 소생을 기대하기 어렵다. 고품질의 심폐소생술을 위해서는 적절한 속도와 깊이의 가슴압박, 가슴압박 후 완전한 가슴이완, 가슴 압박 중단의 최소화, 과도한 폐환기 금지가 되어야 하고,[1,2] 신속한 제세동도 같 이 이루어져야 한다.[3]

1. 가슴압박 속도와 깊이

심장정지 환자의 생존율을 결정하는 가장 중요한 요소는 심폐소생술을 통해서 뇌와 심장으로 산소가 풍부한 혈액을 얼마나 많이 공급할 수 있는가 하는 것이 다. 즉 심폐소생술로써 유발되는 혈액의 관류량, 다시 말해서 심장박출량을 최 대한으로 생산하는 것이 소생에 매우 중요하다. 그러나 심장정지 환자에게 가슴 압박으로 공급할 수 있는 심장박출량은 정상 박출량의 25-33% 수준에 불과하 다는 사실이 여러 연구를 통해서 입증되었고, 이를 개선하고자 하는 노력이 심 폐소생술의 지침에 지속적으로 반영되어 왔다.

심폐소생술이 시행되는 동안 관상동맥 및 뇌동맥으로 적절한 혈류를 유지하 려면 최소한 분당 80회 이상의 가슴압박이 필요하고 압박속도가 분당 130-150 회로 빨라질 때까지는 혈류량도 상승되는 것으로 알려져 있다. 그러나 속도가 빨라짐에 따라 시행되는 가슴압박의 깊이가 얕아지면서 전체적인 가슴압박의 질이 저하되고, 심장에 혈액이 재충만되는 시간을 감소시키거나 구조자의 피로를 증가시켜서 생존에 나쁜 영향을 미칠 가능성도 높아진다. 따라서 심장정지 환자에서 가슴압박의 속도는 분당 100-120회를 권고하고,[4-6] 가슴압박에 걸리는 시간과 가슴이완에 걸리는 시간(동작분율, duty cycle)이 50:50의 비율이 되도록 유지할 것을 권장한다.

심장정지 환자에게 시행되어진 가슴압박의 깊이가 깊어질수록 생존율이 증가한다는 사실을 여러 연구를 통해서 입증되었고 심폐소생술 지침에서도 이를 반영하여 깊은 가슴압박 깊이를 계속 강조해왔다. 하지만 6 cm 이상의 깊이로 가슴압박을 시행한 경우에서 그렇지 않은 경우에 비해 가슴뼈 골절, 갈비뼈 골절 등의 손상이 유의하게 증가된다는 연구 결과가 보고되었다. 그래서 보통 체격의 성인 심장정지 환자에게 가슴압박을 시행할 때는 약 5 cm의 깊이로 시행하고 6 cm를 넘지 않도록 권고한다.[6-8] 그럼에도 불구하고 실제적으로 일반인 또는 의료진이 시행한 심폐소생술의 40% 정도에서는 여전히 가슴압박 깊이가 불충분한 것으로 알려져 있어서 모든 구조자가 충분히 깊게 가슴압박을 시행할 수 있도록 '빠르고 강한 가슴압박'의 강조가 필요하다.

2. 가슴압박 후 완전한 가슴이완

심장으로의 정맥 환류를 위해, 각각의 가슴압박 후에는 가슴이 정상 위치로 올라오도록 이완시켜야 한다. 가슴압박 후 가슴이 완전히 이완되지 않는 경우는 주로 가슴압박의 속도가 지나치게 빠르거나 구조자가 지칠 경우에 발생된다. 불충분한 가슴 이완은 가슴안(흉강) 내부의 압력을 증가시켜 정맥 환류를 방해하고 심장으로의 혈액 재충만을 저해하고, 가슴압박으로 유발되는 심장박출량을 감소시켜 관상동맥과 뇌동맥으로 가는 혈류를 감소시켜서 생존 가능성을 저하시킨다.[9,10] 완전한 가슴 이완은 효과적인 심폐소생술에서 필수적인 부분이므로 교육할 때 그 중요성을 강조하여야 한다.

3. 가슴압박 중단의 최소화

의료인이 심폐소생술 중 심장리듬을 확인할 때 10초를 넘지 않도록 최소화해야 한다. 이외에도 심폐소생술 도중에 이루어지는 인공호흡, 맥박 확인 시에도 10초를 넘지 않도록 한다. 제세동 시행 후에는 즉각 가슴압박을 시행하여 가슴압박 중단을 최소화해야 한다.[11]

심장정지 환자의 관상동맥 및 뇌동맥 관류는 지속적인 가슴압박에 의해 좌우되고, 가슴압박 중단시간이 짧아질수록 1분당 더 많은 가슴압박이 이루어져 생존율과 신경학적 예후의 개선 가능성이 높아지는 것으로 알려져 있다. 따라서 고품질 가슴압박을 위해 전체 심폐소생술 시행시간 중에서 가슴압박이 차지하는 시간의 비율인 가슴압박분율(Chest Compression Fraction, CCF)은 최소 60% 이상으로 유지해야 하고 80% 이상으로 유지할 때 더 좋은 결과를 예측할 수 있다.[12-16]

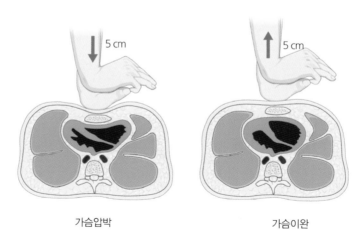

가슴압박   가슴이완

그림 3-1. 가슴압박 후 완전한 가슴이완

가슴압박 시 가슴을 원래 위치로 이완시켜야 흉강 내부의 압력을 감소시키고 심장으로의 정맥 환류를 증가시킨다.

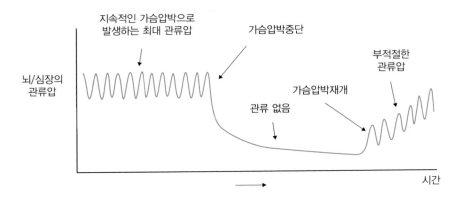

그림 3-2. 가슴압박과 관류압의 관계

가슴압박이 중단되면 관류압이 급격히 떨어지며 원래 수준으로 회복하는 데까지 상당한 시간이 소요된다.

4. 과도한 폐환기의 금지

입-입 인공호흡, 포켓 마스크(pocket mask) 또는 백마스크(bag-valve-mask, BVM) 기구를 사용한 인공호흡, 그리고 전문기도기 삽관 후의 인공호흡 등, 모든 인공호흡에서 절대로 과도한 폐환기가 시행되어서는 안 된다. 과도한 폐환기 대부분은 구조자가 너무 자주, 세게, 많은 양으로 인공호흡을 시행하는 경우에 발생하는데 이는 가슴안(흉강) 내 압력을 높여서 심장으로의 정맥혈 환류를 저해하고 심장박출량과 생존율을 감소시키는 결과를 초래한다.[17] 더불어 위 팽만과 가로막(횡격막) 상승으로 폐환기가 방해받고, 위 내용물의 역류, 흡인 등으로 인한 합병증 발생가능성도 높아진다.

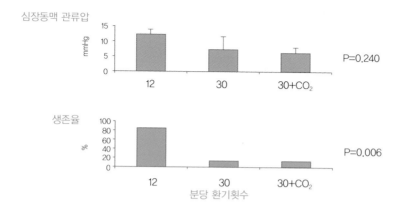

그림 3-3. 과환기에 따른 관상동맥 관류압과 생존율의 관계

심장정지에서 분당 환기횟수가 30회로 많았던 군에서 관상동맥 관류압과 생존율이 통계적으로 유의한 정도로 낮게 나타났다.

5. 신속한 제세동

우리나라의 경우 사회적 관심의 증가와 지속적인 심폐소생술 교육으로 목격자 심폐소생술 시행률은 계속 증가하는 추세에 있으나 일반인에 의한 제세동 시행률은 아직도 낮은 수준에 머물러 있다. 심장정지 발생 위험이 큰 장소에 자동제세동기 배치하고 일반인에게 심폐소생술을 교육하는 자동제세동 프로그램 (Public Access Defibrillation, PAD)은 일반인 목격자 심폐소생술에서 신속한 제세동 처치를 가능하게 하여, 병원밖 심장정지 환자의 생존율을 증가시킨다.[18]

　제세동의 성공률은 심실세동 발생 직후부터 1분마다 7-10%씩 감소되므로 가능한 빨리 제세동을 시행하는 것이 이상적이다(그림 3-4). 따라서 공공장소에 자동제세동기를 의무적으로 설치하여 많은 사람들이 제세동기를 신속하게 이용할 수 있도록 해야 하며, 수동제세동기 역시 병원내에서 바로 적용할 수 있도록 즉시 요청되어야 한다.

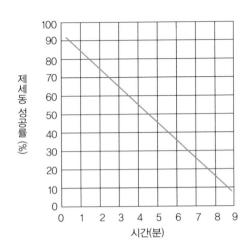

그림 3-4. 시간에 따른 제세동 성공률의 감소
제세동 성공률은 분당 7-10%씩 감소하므로 신속한 제세동이 필요하다.

    자동제세동기 또는 수동제세동기 패드는 두 패드 사이를 직선으로 흐르는 전류의 다발 속에 심장, 특히 심실이 많이 포함될 수 있도록 위치해야 한다. 우측에 부착하는 패드(복장뼈[가슴뼈] 전극)는 가슴뼈의 우측, 빗장뼈의 아래에 위치하고 절대 직접 뼈에 걸치지 않게 하는 것이 중요하다. 왜냐하면 패드에서 나오는 전류의 흐름을 차단하여 심장으로 전달되는 전하량을 감소시키고 제세동을 실패하게 만들 수도 있기 때문이다. 좌측의 패드(심장끝[심첨부] 전극)는 환자의 좌측 중간겨드랑선(mid-axillary line)의 5-6번째 갈비사이공간 높이, 즉 12유도 심전도 V6 전극의 부착 위치에 맞추어 적용한다(그림 3-5).

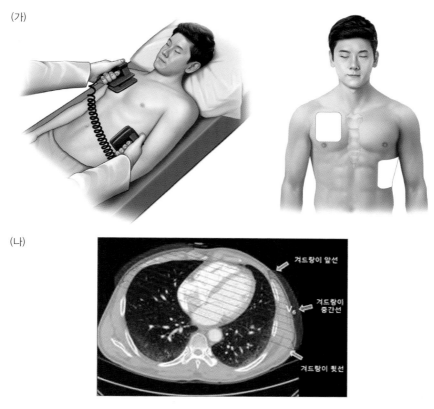

그림 3-5. 제세동시 패드의 정확한 적용 위치

(가) 복장뼈(가슴뼈) 전극과 심장끝(심첨부) 전극의 정확한 위치, (나) 흉부 컴퓨터단층촬영에서 패드의 위치

　제세동 과정에 있어서의 가장 큰 문제점은 가슴압박 중단이 발생된다는 점이다. 대부분의 가슴압박 중단은 제세동 직전과 직후에 발생되는데 가슴압박 중단시간이 길어질수록 제세동 성공률이 감소하기 때문에 이를 최소화하려는 노력이 필요하다. 심전도 분석과 충전 및 전기 충격 전달 과정에서 불가피하게 가슴압박 중단이 발생할 수밖에 없지만 분석이후 제세동기를 충전하는 동안에도 가슴압박을 지속하여 제세동 전 가슴압박 중단시간을 최소화해야 한다. 또한 제세동이 시행되고 나서 별도의 음성지시를 기다리지 말고 즉시 가슴압박을 시작해야 가슴압박이 중단되는 시간을 줄일 수 있다. 제세동에 성공하지 못했을

경우 즉각적으로 가슴압박을 재개해야 다음번 제세동의 성공률을 높일 수 있으며, 제세동에 성공하였다고 해도 곧바로 가슴압박을 시행하는 것이 관상동맥 혈류를 개선시켜 심장정지 환자의 심근 수축력 회복에 도움을 줄 수 있다.

수동 제세동의 성공률을 높이기 위해서는 경흉저항을 최소화하고 심근으로 전류가 잘 전달되게 하는 것이 중요하다. 이는 제세동기 패들에 전도 젤리를 충분히 바르고 정확한 위치에 10-12 kg의 압력을 가하면서 실시해야 가능하다. 최근에 많이 사용되는 수동제세동기 패드(self-adhesive pads)는 액체-고체 중간 정도 재질의 전도 젤리가 두껍게 붙어있어서 저항을 줄이면서 전기를 원활하게 전달할 수 있고, 한번 부착하면 심전도 리듬분석과 제세동이 모두 가능해서 제세동을 시행할 때마다 전도 젤리를 바르거나 적절한 위치를 찾는 데 소요되는 시간을 절약할 수 있다. 의료기관에서는 가슴압박 중단의 최소화를 위해서 가능하다면 패들보다는 패드의 사용을 고려하는 것이 바람직하다.

★ 고품질 심폐소생술을 위한 핵심요소

1. 적절한 깊이와 속도 가슴압박
   - 압박 깊이 – 약 5 cm 가슴압박, 6 cm을 넘지 않음
   - 압박 속도 – 분당 100–120회
2. 가슴압박 후 완전한 가슴이완
3. 가슴압박 중단의 최소화
4. 과도한 폐환기 금지
5. 신속한 제세동

Reference

1. Travers AH, Rea TD, Bobrow BJ, Edelson DP, Berg RA, Sayre MR, Berg MD, Chameides L, O'Connor RE, Swor RA. Part 4: CPR overview: 2010 American Heart Association Guidelines for Cardiopulmonary Resuscitation and Emergency Cardiovascular Care. Circulation. 2010 Nov 2;122(18 Suppl 3):S676-84.

2. Kleinman ME, Brennan EE; Goldberger ZD, Swor RA, Terry M, Bentley J, Bobrow BJ, et al. Part 5: Adult Basic Life Support and Cardiopulmonary Resuscitation Quality: 2015 American Heart Association Guidelines Update for Cardiopulmonary Resuscitation and Emergency Cardiovascular Care. Circulation. 2015;132(18 Suppl 2):S414-35.

3. Panchal AR, Bartos JA, Cabañas JG, Donnino MW, Drennan IR, Hirsch KG, et al. Part 3: Adult Basic and Advanced Life Support: 2020 American Heart Association Guidelines for Cardiopulmonary Resuscitation and Emergency Cardiovascular Care. Circulation. 2020;142(16_suppl_2):S366-S468.

4. Idris AH, Guffey D, Pepe PE, Brown SP, Brooks SC, Callaway CW, et al. Chest compression rates and survival following out-of-hospital cardiac arrest. Crit Care Med 2015;43(4):840-8.

5. Hwang SO, Cha KC, Kim K, Jo YH, Sung Phil Chung SP, et al. A Randomized Controlled Trial of Compression Rates during Cardiopulmonary Resuscitation. J Korean Med Sci 2016;31(9):1491-8.

6. Olasveengen TM, Mancini ME, Perkins GD, Avis S, Brooks S,Castrén M, et al. Adult Basic Life Support: 2020 International Consensus on Cardiopulmonary Resuscitation and Emergency Cardiovascular Care Science With Treatment Recommendations. Circulation. 2020 Oct 20;142(16_suppl_1):S41-S91.

7. Vadeboncoeur T, Stolz U, Panchal A, Silver A, Venuti M, Tobin J, et al. Chest compression depth and survival in out-of-hospital cardiac arrest. Resuscitation. 2014;85:182 – 8.

8. Stiell IG, Brown SP, Nichol G, Cheskes S, Vaillancourt C, Callaway CW, et al. What is the optimal chest compression depth during out-of-hospital cardiac arrest resuscitation of adult patients? Circulation. 2014;130:1962 – 1970.

9. Zuercher M, Hilwig RW, Ranger-Moore J, Nysaether J, Nadkarni VM, et al. Leaning during chest compressions impairs cardiac output and left ventricular myocardial blood flow in piglet cardiac arrest. Crit Care Med 2010;38(4):1141-6.

10. Yannopoulos D, McKnite S, Aufderheide TP, Sigurdsson G, Pirrallo RG, Benditt D, et al. Effects of incomplete chest wall decompression during cardiopulmonary resuscitation on coronary and cerebral perfusion pressures in a porcine model of cardiac arrest. Resuscitation 2005;64(3):363-72.

11. Eftestol T, Sunde K, Steen PA. Effects of interrupting precordial compressions on the calculated probability of defibrillation success during out-of-hospital cardiac arrest. Circulation 2002;105:2270-3.

12. Christenson J, Andrusiek D, Everson-Stewart S, Kudenchuk P, Hostler D, et al. Chest compression fraction determines survival in patients with out-of-hospital ventricular fibrillation. Circulation 2009;120:1241-7.

13. Talikowska M, Tohira H, Finn J. Cardiopulmonary resuscitation quality and patient survival outcome in cardiac arrest: A systematic review and meta-analysis.Resuscitation. 2015; 96:66 – 77

14. Vaillancourt C, Everson-Stewart S, Christenson J, Andrusiek D, Powell J, Nichol G, Cheskes S, Aufderheide TP, Berg R, Stiell IGResuscitation Outcomes Consortium Investigators. The impact of increased chest compression fraction on return of spontaneous circulation for out-of-hospital cardiac arrest patients not in ventricular fibrillation.Resuscitation. 2011; 82:1501 – 7

15. Vadeboncoeur T, Stolz U, Panchal A, Silver A, Venuti M, Tobin J, Smith G, Nunez M, Karamooz M, Spaite D, Bobrow B. Chest compression depth and survival in out-of-hospital cardiac arrest.Resuscitation. 2014; 85:182 – 18

16. Cheskes S, Schmicker RH, Rea T, Powell J, Drennan IR, Kudenchuk P, Vaillancourt C, Conway W, Stiell I,

Stub D, Davis D, Alexander N, Christenson JResuscitation Outcomes Consortium investigators. Chest compression fraction: A time dependent variable of survival in shockable out-of-hospital cardiac arrest.Resuscitation. 2015; 97:129–35.

17. Aufderheide TP, Sigurdsson G, Pirrallo RG, Yannopoulos D, McKnite S, Briesen C, et al. Hyperventilation-induced hypotension during cardiopulmonary resuscitation. Circulation. 2004;109(16):1960-5.

18. Andersen LW, Holmberg MJ, Granfeldt A, Løfgren B, Vellano K, McNally BF, et al. Neighborhood characteristics, bystander automated external defibrillator use, and patient outcomes in public out-of-hospital cardiac arrest. Resuscitation 2018;126:72-9.

19. Larsen MP, Eisenberg MS, Cummins RO, Hallstrom AP. Predicting survival from out-of-hospital cardiac arrest: a graphic model. Ann Emerg Med. 1993;22(11):1652-8.

CHAPTER

4

성인 심장정지 환자의 기본소생술과 가슴압박소생술

1. 개요

성인 심장정지 환자의 기본소생술은 환자의 발견부터 제세동까지의 내용을 다루며, 이 내용은 생존사슬의 첫 번째부터 네 번째 사슬에 해당된다. 목격자가 심장정지를 신속하게 인지함으로써 빠르게 응급의료체계를 활성화해야 하고, 신속한 심폐소생술 및 신속한 제세동을 시행할 수 있어야 한다. 2010년 가이드라인에서는 '무호흡 또는 비정상 호흡 확인'이 응급의료체계 활성화 단계 이전에 있었으나 2015년 가이드라인에서는 응급의료체계 활성화 후 맥박 확인과 동시에 시행하는 것으로 변경되었으며, 이에 따라 환자발견에서 가슴압박까지 걸리는 시간이 단축되었다.

2020년 가이드라인에서 심폐소생술의 기본 술기(심폐소생술 순서, 가슴압박 방법, 인공호흡 방법, 가슴압박 대 인공호흡의 비율)는 2015년 가이드라인과 같다. 다만 2020년 가이드라인에서는 심폐소생술 중 가슴압박 깊이를 향상하기 위해 환자를 침대 등의 장소에서 바닥으로 옮기는 것은 권고하지 않고 있다.

일반인 구조자는 맥박확인을 하지 않고 무호흡 또는 비정상 호흡만 확인하며, 이전 가이드라인과 마찬가지로 가슴압박만 하는 가슴압박소생술(hands-only CPR)을 시행하도록 한다. 심폐소생술 교육을 받은 적이 없거나 받았더라도 인공호흡에 대한 자신이 없는 경우, 혹은 인공호흡에 대해 거부감을 가진 경우에는 심폐소생술을 시도조차 하지 않는 경우가 많다. 그러나 인공호흡을 하지 않고 가슴압박만 하더라도 아무것도 하지 않는 것에 비해 심장정지 환자의 생존율을 높일 수 있다. 일반인 중에서도 교육을 받아 인공호흡을 할 수 있는 구조자는 인공호흡이 포함된 심폐소생술을 시행할 수 있다.

응급의료종사자뿐만 아니라 일반인 구조자도 비정상 호흡 중 심장정지 호흡을 인지할 수 있어야 한다. 심장정지 호흡은 매우 느리고 미약한 호흡 또는 간헐적으로 헐떡이는 호흡을 말하는데, 이런 징후를 놓치게 되면 심장정지의 인지가 늦게 되고 환자의 생존 가능성은 낮아진다.

병원내 심장정지의 경우, 원내 심장정지 코드 방송을 통해 전문소생술팀을 활성화하고, 심전도 감시 장치 및 제세동기를 요청한 후, 바로 심폐소생술을 시행한다. 전문심장소생술을 통한 심장정지 치료의 가장 중요한 기본원칙은 기본소생술을 기반으로 한다. 따라서 전문소생술팀이 올 때까지 수준 높은 기본소생술을 시행할 수 있어야 한다.

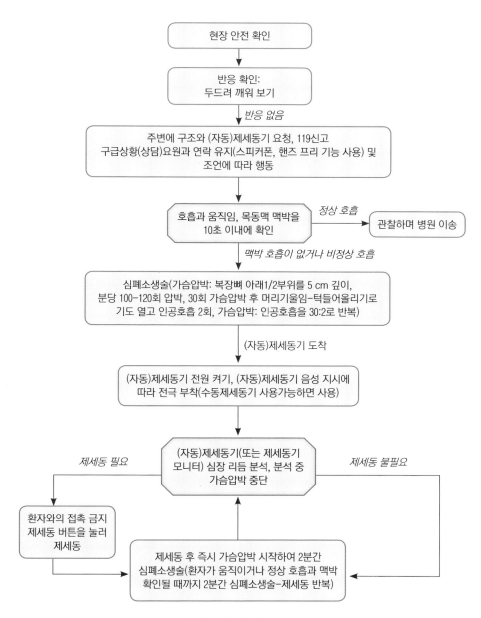

그림 4-1. 보건의료인에 의한 병원밖 심폐소생술 순서

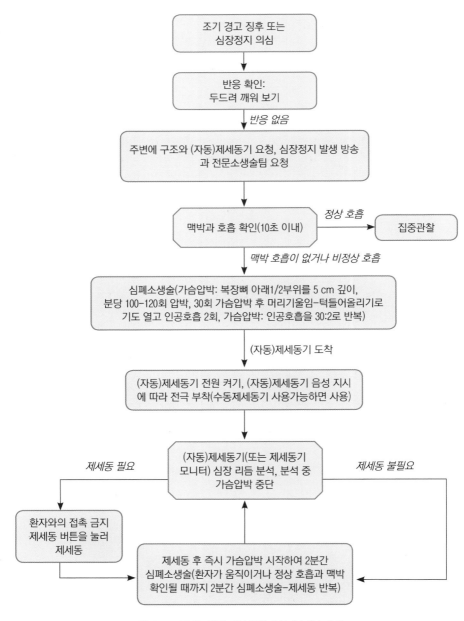

조기 경고 징후 또는
심장정지 의심

반응 확인:
두드려 깨워 보기

반응 없음

주변에 구조와 (자동)제세동기 요청, 심장정지 발생 방송
과 전문소생술팀 요청

맥박과 호흡 확인(10초 이내)   정상 호흡   집중관찰

맥박 호흡이 없거나 비정상 호흡

심폐소생술(가슴압박: 복장뼈 아래1/2부위를 5 cm 깊이,
분당 100-120회 압박, 30회 가슴압박 후 머리기울임-턱들어올리기로
기도 열고 인공호흡 2회, 가슴압박: 인공호흡을 30:2로 반복)

(자동)제세동기 도착

(자동)제세동기 전원 켜기, (자동)제세동기 음성 지시
에 따라 전극 부착(수동제세동기 사용가능하면 사용)

제세동 필요   (자동)제세동기(또는 제세동기
모니터) 심장 리듬 분석, 분석 중
가슴압박 중단   제세동 불필요

환자와의 접촉 금지
제세동 버튼을 눌러
제세동

제세동 후 즉시 가슴압박 시작하여 2분간
심폐소생술(환자가 움직이거나 정상 호흡과 맥박
확인될 때까지 2분간 심폐소생술–제세동 반복)

그림 4-2. 보건의료인에 의한 병원내 심폐소생술 순서

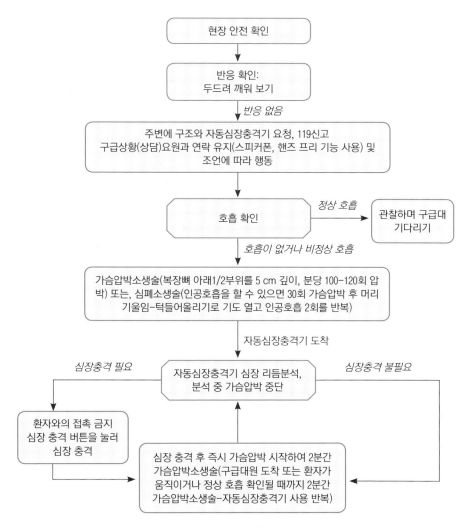

현장 안전 확인

반응 확인:
두드려 깨워 보기

반응 없음

주변에 구조와 자동심장충격기 요청, 119신고
구급상황(상담)요원과 연락 유지(스피커폰, 핸즈 프리 기능 사용) 및
조언에 따라 행동

호흡 확인 　*정상 호흡*　→　관찰하며 구급대
기다리기

호흡이 없거나 비정상 호흡

가슴압박소생술(복장뼈 아래1/2부위를 5 cm 깊이, 분당 100-120회 압
박) 또는, 심폐소생술(인공호흡을 할 수 있으면 30회 가슴압박 후 머리
기울임-턱들어올리기로 기도 열고 인공호흡 2회를 반복)

자동심장충격기 도착

심장충격 필요　자동심장충격기 심장 리듬분석,
분석 중 가슴압박 중단　*심장충격 불필요*

환자와의 접촉 금지
심장 충격 버튼을 눌러
심장 충격

심장 충격 후 즉시 가슴압박 시작하여 2분간
가슴압박소생술(구급대원 도착 또는 환자가
움직이거나 정상 호흡 확인될 때까지 2분간
가슴압박소생술-자동심장충격기 사용 반복)

그림 4-3. 일반인 구조자에 의한 심폐소생술 순서

2. 단계별 학습

1) 반응의 확인

행위	그림
1. 환자에게 접근하기 전에 현장 상황이 안전한지, 감염의 위험성은 없는지 확인한다. (예: 화재 현장, 물속, 교통사고 현장 등. 현장이 안전하지 않으면 안전한 환경으로 구조자와 환자 모두 이동해야 한다. 하지만 위험한 환경이 아니라면 가능한 환자를 이동하지 않는다.)	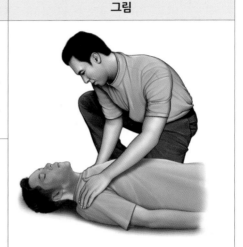
2. 환자의 양쪽 어깨를 가볍게 두드리며 "괜찮으세요?"라고 질문하면서 반응을 확인한다.	

★ 환자 반응 확인 시 유의사항
환자가 반응은 없으나 정상적인 호흡을 보이는 경우에는? 회복자세를 취해 구강의 이물이 흡인되는 것을 예방한다. 환자가 반응을 한다면? 호흡과 맥박을 확인하고 정상적인 호흡과 맥박이 있다면 회복자세를 취해주고 의료진이 도착할 때까지 호흡과 맥박을 확인한다. 만약 구조자가 일반인이라면 119에 신고한 후 환자의 상태를 자주 확인하면서 구급상황(상담)요원의 지시를 따른다.

2) 도움 요청(119 신고 및 자동제세동기 준비)

행위	그림
1. 반응이 없는 사람을 발견했다면, 쓰러진 사람이 심장정지 상태라 판단하고 즉시 도움 및 자동제세동기를 요청한다. (병원밖: 119, 병원내: 원내 심장정지 코드 방송)	

★ 도움요청 시 유의사항

구조자가 한 명일 때 도움 요청 방법은?

주위에 도와줄 사람이 있다면 119에 신고하고 자동제세동기를 가져다 달라고 요청한다. 주위에 도와줄 사람이 없고 휴대전화가 있다면 휴대전화의 스피커를 켜거나 핸즈프리 기능을 활성화한 후 즉시 심폐소생술을 시작하고 필요하면 구급상황(상담)요원의 도움을 받는 것을 권장한다.

구조자가 2명일 때 도움 요청 방법은?

한 명은 즉시 심폐소생술을 시작하고 다른 한 명은 119에 신고 후 주위에 있는 자동제세동기를 가지고 온다. 주위에 자동제세동기가 없다면 119가 올 때까지 같이 심폐소생술을 시행한다.

119에 신고할 때의 요령은?

119신고 시 정확한 발생 장소, 환자의 수와 상태를 알려주고 구급상황(상담)요원의 도움을 받는 것을 권장한다.

병원내에서의 도움요청

원내 심장정지 코드 방송을 통해 전문소생술팀을 활성화하고 심전도 감시 장치 및 (자동)제세동기를 요청한다.

3) 맥박 및 호흡 확인

보건의료인은 맥박과 호흡의 유무 및 비정상 호흡 여부를 동시에, 10초 이내에 판별한다. 맥박의 확인 순서는 다음과 같다.

행위	그림
1. 구조자의 다른 한 손의 검지와 중지를 이용하여 목 중앙의 기관의 위치를 확인한다(그림. 기관위치 확인).	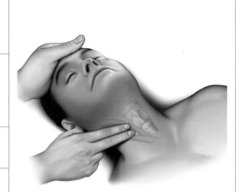
2. 환자 목 중앙의 기관에서 구조자 쪽으로 손가락을 밀어 내려오면서 기관과 목 옆의 근육사이의 움푹 패인 홈으로 손가락을 위치시킨다(그림. 목동맥 확인).	
3. 맥박을 확인하면서 동시에 눈으로 호흡의 유무 및 이상여부를 확인한다.	
4. 5-10초 이내로 목동맥을 촉지한다.	
5. 10초 이내로 목동맥이 촉지되지 않으면 가슴 압박을 시작한다.	

★ 맥박 및 호흡 확인 시 유의사항

만약 10초 이내에 환자의 맥박 유무가 불확실하다면 없는 것으로 간주하고 가슴압박을 시행한다. 심폐소생술이 필요한 환자에게 심폐소생술을 지연시키는 것보다 불필요한 심폐소생술을 하는 것이 환자에게 덜 해롭다. 가슴압박 도중 환자가 움직이면 심폐소생술을 중단하고 환자상태를 다시 확인한다.

일반인 구조자는 맥박확인을 하지 않는다. 환자가 반응이 없으면서 정상적인 호흡을 보이지 않는 경우 곧바로 가슴압박의 시작을 권고한다. 이는 심장정지 의심환자의 맥박확인 과정이 훈련되지 않은 일반인에게는 어렵고 부정확한 것으로 연구결과가 나타났기 때문이다.

비정상 호흡 중 심장정지 호흡을 인식하는 것이 중요하다. 심장정지 호흡은 매우 느리고 미약한 호흡 또는 간헐적으로 헐떡이는 호흡을 말하며 심장정지 직전 첫 수 분간, 또는 심장정지 발생 후 초기 1분간 40% 정도에서 나타날 수 있다. 심장정지 호흡을 심장정지의 징후라고 인식하는 것이 신속한 심폐소생술을 진행하고 소생 성공률을 높이는 데 매우 중요하다.

4) 가슴압박

심폐소생술의 시작은 인공호흡보다는 가슴압박을 먼저 시작하기를 권고한다

행위	그림
1. 정확한 압박 지점을 찾기 위해 환자 가슴의 피부가 눈에 보이도록 옷을 제거한다.	
2. 환자의 가슴 중앙인 가슴뼈 (sternum)의 아래쪽 1/2 부분에 구조자의 한 손의 손꿈치를 놓고 그 위에 다른 한손을 놓고 평행하게 겹친다. 손가락은 깍지를 끼거나 펼 수 있다.	
3. 구조자의 체중을 이용하여 압박하기 위해, 양팔의 팔꿈치를 곧게 펴서 어깨와 일직선을 이룰 수 있도록 하고 구조자의 어깨와 환자의 가슴이 수직이 되게 한다.	
4. 100~120회/분의 속도로 환자의 가슴이 약 5 cm 눌릴 수 있게 체중을 실어 '깊고', '강하게' 압박한다. 6 cm를 초과해서는 안 되며, 매 압박 시 압박위치가 변경되지 않도록 한다.	
5. 매번의 압박 직후 압박된 가슴은 원래 상태로 완전히 이완되도록 한다. 압박 대 이완의 시간비율이 50 대 50이 되게 한다. 완전한 가슴 이완은 효과적인 심폐소생술에서 필수적인 부분이다.	

★ 가슴압박 시 유의사항

가슴압박에 의한 합병증은?

가슴압박이 적절히 시행되더라도 늑골 골절이 발생한다. 최근 연구결과에 의하면 심장정지로 오인되어 심폐소생술이 시작되더라도 심각한 합병증의 발생 빈도는 높지 않았다고 한다. 심폐소생술에 의한 합병증의 발생 가능성과 심폐소생술에 의한 소생 가능성을 비교한다면 심장정지가 의심되는 환자에게 심폐소생술을 적극 권장하는 것이 바람직하다. 복강 내 장기의 손상을 방지하기 위해 가슴뼈의 가장 하단에 위치한 칼돌기를 압박하지 않도록 주의한다.

5) 기도유지

환자가 반응을 하지 않으면, 즉 의식이 없으면 구강 내의 혀를 지탱하는 근육이 이완되어 기도가 폐쇄될 수 있기 때문에 반응이 없는 환자에게는 기도유지가 필요하다.

행위	그림
1. 구조자의 한 손을 환자의 이마에 올려놓고 손바닥으로 환자의 머리를 뒤로 젖힌다 (머리기울임, head tilt). 2. 다른 한손으로 턱 아래 뼈 부분을 머리쪽으로 당겨 턱을 위로 들어 준다(턱들어 올리기, chin lift).	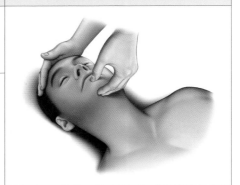

★ 기도 유지 시 유의할 점

머리기울임-턱들어올리기 시 주의할 점은? 턱 아래의 연부조직을 눌러 기도가 폐쇄되는 일이 없도록 한다. 턱을 들어올리기 위해 엄지손가락을 사용하지 않는다. 환자의 입이 닫히지 않도록 한다.

기도유지를 배운 적이 없다면? 심폐소생술 교육을 받은 경험이 없고 심폐소생술에 자신이 없는 일반인 구조자는 기도유지-인공호흡을 생략하고 가슴압박만 하는 소생술을 권장한다.

머리나 목에 외상이 있는 환자의 기도유지 방법은? 머리나 목의 외상으로 척추 손상 위험이 의심되는 환자의 기도유지는 머리를 신전시키지 않는 턱밀어올리기(Jaw thrust)를 사용하여 기도를 확보한다(보건의료인에 한정).

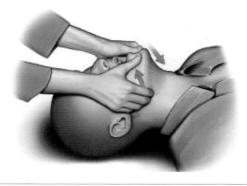

6) 인공호흡

행위	그림
1. 기도를 개방하고 이마 쪽 손의 엄지와 검지로 환자의 코를 막는다.	
2. 구조자의 입을 크게 벌려 환자의 입에 완전히 밀착시켜 공기가 새지 않도록 하고 10초 이내에 1초에 걸쳐 한번씩, 두 번 가슴 상승이 관찰될 정도로 숨을 불어 넣는다.	

★ 인공호흡 시 유의할 점

과도한 환기가 발생하지 않도록 주의

과도한 환기는 흉곽내압을 증가시키고 심장으로 정맥혈 순환을 저하시켜 심박출량과 생존율을 감소시킨다. 가슴 상승이 눈으로 관찰될 정도로만 호흡량을 불어 넣는다.

위 팽창이 발생하지 않도록 주의

너무 빨리 또는 세게 호흡을 불어 넣을 경우 공기가 폐가 아닌 위로 들어가 위 팽창을 쉽게 일으킬 수 있다. 위 팽창을 최소화하기 위해서는 1초에 걸쳐 서서히 가슴이 상승될 정도로만 불어 넣어야 한다. 위 팽창은 위 내용물의 역류, 기도로의 흡인과 같은 심각한 합병증을 유발할 수 있다.

보호기구 사용여부 결정

구조자가 입-입 인공호흡을 망설이는 경우 보호기구(예: face shield)를 사용할 수 있다. 그러나 입-입 인공호흡을 통해 질병이 전염될 위험성은 매우 낮은 것으로 알려져 있으므로 보호기구를 준비하기 위해 인공호흡을 지연시키지 않도록 한다. 입을 통하여 인공호흡을 할 수 없는 경우, 입과 입의 밀착이 어려운 경우, 환자가 물속에 있는 경우는 입-코 인공호흡을 권장한다.

가슴상승이 관찰되지 않는다면?

첫 번째 인공호흡을 시도했을 때 환자의 가슴이 상승되지 않는다면 머리기울임-턱들어올리기를 다시 정확하게 시행한 다음 두 번째 인공호흡을 시행한다.

7) 가슴압박과 인공호흡 30 대 2 비율 유지

행위	그림
1. 가슴압박 30번과 인공호흡 2번을 번갈아 가면서 실시한다.	

★ 유의할 점

가슴압박 중단의 최소화

인공호흡을 시행하기 위한 가슴압박 중단은 10초 이내로 제한한다. 순환회복을 확인하기 위해 가슴압박을 중단해서는 안 되며, 자동제세동기나 전문소생술팀이 도착하거나 환자가 깨어날 때까지 가슴압박을 계속 시행해야 한다.

2인 이상의 구조자가 있을 때

2인 이상의 구조자가 심폐소생술을 하는 경우 2분마다 또는 5주기(1주기는 30회의 가슴압박과 2회의 인공호흡)의 심폐소생술 후에 가슴압박 시행자를 교대해준다. 임무를 교대할 때는 가슴압박 중단을 최소화한다.

8) 가슴압박소생술(Hands-only CPR)

정의	가슴압박소생술이란 인공호흡은 하지 않고 가슴압박만을 시행하는 심폐소생술이다.
교육 대상	보건의료인이 아닌 일반인
도입 배경	① 심장정지를 발견한 목격자가 아무것도 하지 않는 것보다, 가슴압박만이라도 시행하는 것이 심장정지 환자의 생존율을 높인다. ② 심폐소생술을 교육받지 않았거나 숙련되지 않은 일반인도 가슴압박만 시행하는 심폐소생술을 할 수 있다. ③ 심장성 심장정지 환자에서는 가슴압박소생술과 인공호흡이 포함된 심폐소생술이 생존율에 미치는 결과가 유사하다.
가슴압박-인공호흡 심폐소생술이 권장되는 경우	① 병원밖 심장정지 환자에서 심장정지 시간이 오래 지속된 경우 ② 호흡성 원인에 의한 심장정지가 의심되는 경우 ③ 영아 및 소아 심폐소생술

3. 요약

성인 심장정지 환자의 기본소생술 실습 지침	
1. 환자 반응 평가	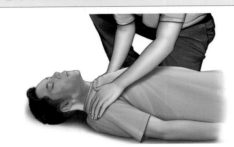
2. 병원밖: 응급의료체계 활성화 (119신고) 및 자동제세동기 요청 　병원내: 심장정지 코드 방송 및 제세동기 요청	
3. 맥박 및 호흡확인(10초 이내) 　• 맥박 확인은 보건의료인에 한정 　• 일반인의 경우 구급상황(상담) 요원의 안내에 따라 호흡 평가 하는 것이 도움이 됨	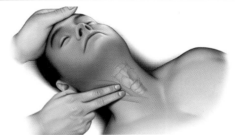
4. 고품질의 가슴압박 30회 시행 　• 정확한 압박위치: 가슴뼈의 아래 쪽 1/2 부분 　• 적절한 압박속도: 100회–120회/ 분(30회의 가슴압박을 15–18초 이내에 시행) 　• 적절한 압박깊이: 약 5–6 cm 깊이 로 압박 　• 적절한 가슴이완: 압박 대 이완 비율 50 대 50 완전한 이완 　• 자세 : 양 팔꿈치 펴고 어깨와 일 직선이 되게끔	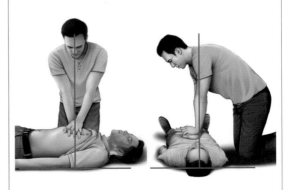

5. 머리기울임-턱들어올리기로 기도유지

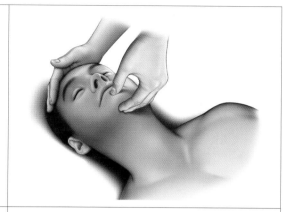

6. 10초 이내에 1초에 걸쳐 한 번씩, 가슴상승이 보이도록 2회 인공호흡

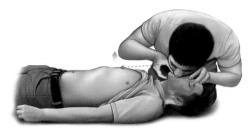

7. 가슴압박 30회 인공호흡 2회 반복 가슴압박 중단의 최소화: 2회의 인공호흡을 10초 이내에 시행
   - 자동제세동기가 도착할 때까지
   - 2인 이상 구조자의 경우 2분마다 또는 5주기의 심폐소생술 후 역할 교대

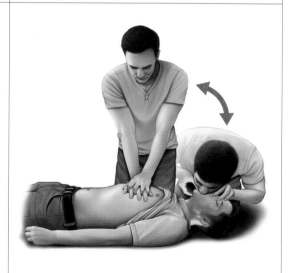

CHAPTER

5

성인에서 자동제세동기 적용

1. 자동제세동기의 필요성

심장정지 환자에서 가장 흔한 원인은 급성심근경색 후 발생하는 심실세동으로 알려져 있다. 이러한 심실세동으로 인한 심장정지 환자의 치료에서 가장 중요한 것들은 가슴압박과 빠른 제세동이다[1,2]. 제세동의 성공률은 심실세동 발생 직후부터 1분마다 7-10% 감소하기 때문에 심장정지 환자에서 빠른 제세동이 필요하다[3]. 자동제세동기가 보급되기 이전에는 심실세동 심장정지 환자에서 제세동은 응급실로 이송 후 또는 응급구조팀이 현장에 도착해야만 시행할 수 있었다. 자동제세동기의 보급과 그에 대한 교육으로, 심정장정지 환자가 발생한 장소에 자동제세동기가 가까이 설치되어 있다면 일반인이나 또는 심장리듬 분석에 숙련되지 않은 의료인들도 쉽게 제세동을 시행할 수 있다[4-6]. 또한 자동제세동기의 보급으로 인하여, 심장정지 현장에서 빠른 제세동은 심장정지 환자의 자발순환환회복이 더 잘 이루어지도록 되었다[7,8]. 우리나라에서는 공공보건의료기관, 구급대에 운용 중인 구급차, 여객항공기와 공항, 철도차량, 20톤 이상의 선박, 공동주택, 다중이용시설 등에 자동제세동기 등의 응급의료장비를 갖추고 매월 1회 점검하도록 법으로 정하고(응급의료에 관한 법률 제47조 2항) 있다.

심실세동(또는 무맥성 심실빈맥)은 주로 심실에서 이상 신호가 발생하여, 심실 자체가 마치 심박동조율기처럼 심장 전체에 약 분당 200회 이상의 이상 신호를 발생시키고, 정상적이지 못한 심근 수축 이완을 만들어, 심장이 정지한 것과 같은 상태가 되는 것을 말한다. 심실세동 환자에서 제세동이 필요한 이유는 강한 에너지를 심장에 전달하여 심실세동을 제거하기 위해서이다. 심실세동 환자에서 수동제세동기를 이용할 경우에는 의료인이 직접 심전도 신호를 분석하여 제세동 시행 여부를 결정한다. 반면 자동제세동기는 자동으로 심전도를 분석하여 심실세동(또는 무맥성 심실빈맥)을 제거할 수 있는 장비이다. 자동제세동기는 가슴에 붙이는 두 개의 패드에서 나오는 심전도 신호를 분석하여, 제세동이 필요한 경우에 제세동을 전달할 에너지를 충전하고, 제세동을 시행하는 장비이다. 자동제세동기는 지침에 따라 일반적으로 120-200 J의 이상파형 제세동(Biphasic defibrillation)을 사용한다[9]. 수동제세동기의 에너지는 의료인이 상황에 맞게 선택하지만, 자동제세동기는 제조사가 정해둔 에너지가 전달된다.

2. 자동제세동기의 종류

자동제세동기는 제조회사마다 형태와 모양이 다양하다(그림 5-1). 자동제세동기는 사용하는 연령에 따라 성인용과 소아용 두 가지로 구분된다. 성인용과 소아용의 차이는 패드의 크기와 전달되는 에너지의 크기다. 자동제세동기는 제조회사마다 형태가 달라도 작동방식은 비슷하기 때문에, 사용법의 원칙만 안다면 쉽게 사용할 수 있다. 성인용 자동제세동기는 성인에게만 사용하도록 권장되고, 소아용 자동제세동기는 8세 미만의 소아에게 사용하도록 권장된다[10]. 만약 소아 심장정지 환자에서 소아 자동제세동기를 사용할 수 없다면, 수동 제세동기가 권장되고, 그것마저 불가능한 상황이면 성인용 제세동기가 권장된다. 영아 심장정지 환자에서 심실세동인 경우 제세동기를 사용하는 것이 효과적이고 부작용이 없었다는 사례 보고에 따라 영아의 제세동기 사용도 권장된다[11].

그림 5-1. 여러 가지 자동제세동기

3. 자동제세동기의 사용법

자동제세동기의 사용법은 단순하고 쉽다. 자동제세동기는 4단계를 거쳐 작동
이 되는데, 이러한 것을 "자동제세동기의 일반적 4단계(AED Universal 4
Steps)"라고 한다. 많은 제조사에서 자동제세동기를 생산하므로 모양, 버튼의 위
치, 적용 순서가 약간씩 차이가 있을 수가 있으나, 대부분의 자동제세동기는 일
반적 4단계에 의해 사용할 수 있다(그림 5-2).

★ 자동제세동기의 일반적 4단계	
1. 전원을 켠다.	2. 패드를 붙인다.
3. 분석을 한다.	4. 모두 물러나고 쇼크를 준다.

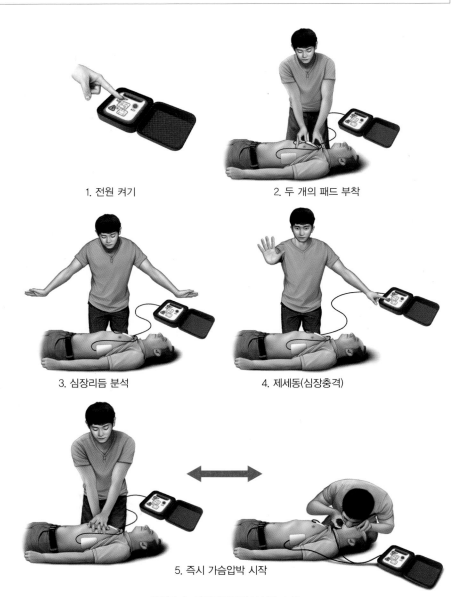

1. 전원 켜기   2. 두 개의 패드 부착

3. 심장리듬 분석   4. 제세동(심장충격)

5. 즉시 가슴압박 시작

그림 5-2. 자동제세동기의 사용 순서

1) "전원을 켠다."

자동제세동기에서 우선적으로 해야 할 일은 전원을 켜는 것이다. 물론 작동 구
동시간이 매우 짧아서, 대부분 전원을 켜면 즉시 자동제세동기가 작동되어지나,
일부 기기 또는 자동제세동기의 상태에 따라 구동이 느릴 수 있으므로 전원을
우선 켠다. 일부 자동제세동기는 뚜껑을 열면 자동으로 전원이 켜지는 모델도
있다. 전원이 켜지면 제세동기를 관리하는 센터에 자동으로 연락이 되는 모델도
있다.

2) "패드를 붙인다."

다음은 자동제세동기의 패드를 정확한 위치에 붙이는 것이다. 정확한 위치에
부착되어야 많은 에너지가 심근에 전달되고, 제세동 확률이 증가된다. 패드를
붙이는 방법은 여러 가지가 있다. 성인에서 가장 일반적으로 붙이는 방법은 우
측 빗장뼈 밑과 좌측 중간겨드랑선에 붙이는 전외위치법(antero-lateral place-
ment)이다[12,13].

　대부분의 패드에 그림이 그려져 있어서, 좌우를 구분해주고 붙일 위치를 안
내해준다. 우측 패드의 위치는 우측 빗장뼈 밑에, 우측 빗장뼈의 중심선과 패드
의 중심선이 일치하게 붙인다. 이때 패드가 우측 빗장뼈를 덮으면 안 된다. 좌측
에 붙이는 패드는 패드의 중심이 좌측 5-6번째 갈비사이공간과 중심겨드랑선
이 만나는 부위에 붙인다. 쉽게 설명하면 좌측 젖꼭지 바깥쪽 아래쪽에 붙이도
록 한다. 붙인 패드가 좌측 젖꼭지보다 가슴의 위쪽으로, 좌측 젖꼭지 안쪽으로
위치해서는 안 된다.

　소아 또는 영아의 자동제세동기를 붙이는 방법도 성인과 같다. 두 개의 패드
가 너무 가까운 경우(3 cm 이내) 자동제세동기의 패드를 흉곽 전후에 부착할
수 있다. 왼쪽에 붙이는 패드를 가슴뼈 왼쪽 경계 옆으로 붙이고, 오른쪽 패드
를 앞에 붙인 패드와 나란하게 되도록 등에 붙여준다.

3) "분석을 한다."

분석을 시작하는 방법은 자동제세동기 제조회사마다 차이가 있다. 패드를 가슴에 붙이고 기계에 연결하면 분석이 시작되는 기기가 있다. 패드가 자동제세동기에 연결되어 있어서 전원이 켜지면 패드에 약한 전류를 흐르게 하다가, 환자 가슴에 두 개의 패드가 붙는 것을 감지하면 분석을 시작하는 자동제세동기도 있다. 또 다른 방법으로는 패드를 붙이고 분석을 시작하는 분석 버튼이 따로 존재하는 자동제세동기도 있다.

자동제세동기가 심장정지 환자의 심장리듬을 분석하기 위해서는 방해되는 요소가 없어야 한다. 다른 사람이 심장정지 환자를 만지거나 환자가 흔들리면, 흔들리는 움직임이 같이 분석되어, 자동제세동기의 분석에 오류가 생길 수 있다.

만약 1인 심폐소생술 중이었다면 가슴압박과 인공호흡을 중단하고 1-2단계를 한 후, 3단계 기계에서 분석을 위해 물러나라는 안내가 나올 때, 환자에게서 물러난다. 2인 심폐소생술 중이었다면 자동제세동기가 물러나라고 하기 전까지 2차 구조자는 가슴압박과 인공호흡을 지속적으로 시행하고, 1차 구조자는 1-2단계 후, 3단계에서 분석을 위해 물러나라는 안내가 나오면 가슴압박-인공호흡을 중단시키고, 환자에 아무도 접촉하지 않는지를 확인하고 접촉한 사람이 있다면 물러나게 한다.

자동제세동기의 분석결과는 두 가지만 존재한다. 하나는 '제세동이 필요하지 않다' 또는 '제세동이 필요하다'이다. 제세동이 필요하지 않은 경우에는 즉시 가슴압박-인공호흡을 시행하면 된다. 제세동이 필요한 경우에는 자동제세공기를 충전하고 4단계를 진행한다.

4) "모두 물러나고 제세동을 시행한다."

제세동이 필요한 경우 짧은 시간 동안 충전이 되고, 충전이 완료되면 충전이 완료되었다는 신호가 발생한다. 이 신호는 제조사마다 다를 수 있지만, 대부분 제세동 버튼이 점멸하면서 경고음이 발생한다. 기계가 충전되면 환자에게서 다시 모두 떨어져 있는지 재빨리 확인하고, 제세동 실행 버튼을 눌러서 제세동을 시행한다. 제세동을 시행할 때 환자의 몸에 접촉하고 있는 사람에게도 제세동 에너지가 같이 전달되어 강한 충격 또는 심장정지가 발생할 수도 있다. 따라서 제세동을 시행할 때 어떠한 사람도 환자의 몸에 접촉하고 있지 않다는 것을 확인하고, 만약 접촉한 사람이 있다면 물러나게 한다.

5) 제세동 시행 후 즉시 가슴압박 시작

자동제세동기의 일반적 4단계에 포함되지는 않지만, 다음 단계로 제세동을 시행한 후 즉시 가슴압박을 다시 시작해야 한다는 것을 명심해야 한다[14,15]. 심전도를 분석하고 제세동을 시행할 때까지 상당한 시간 동안 가슴압박은 중단된다. 따라서 제세동을 시행하면 즉시 가슴압박을 시작해야 한다. 가슴압박이 중단된 시간이 길어지면 관상동맥관류압이 떨어지고 환자의 소생이 힘들어 질 수 있다.

자동제세동기는 제세동이 시행되고 2분마다 다시 3단계인 분석단계를 다시 수행한다. 2분 동안 가슴압박-인공호흡의 심폐소생술을 진행하면 된다. 2분이 지나고 다시 분석을 시작하면 위의 과정을 반복하면 된다. 이 과정을 전문소생술 팀에게 환자를 인계할 때까지 시행한다.

6) 음성안내체계

대부분의 자동제세동기는 음성안내체계를 가지고 있다. 전원을 켜면 각 사용의 단계를 설명하는 음성 안내가 나오고 이것의 안내를 받아서 사용이 가능하도록 되어 있다. 잘 모르거나 처음 사용하는 일반인들은 이러한 음성 안내를 받아 사용하는 것이 유용하다[16]. 음성안내체계를 가진 일부 자동제세동기에서는 제세동이 시행되고 가슴압박-인공호흡을 하는 시간동안 분당 100회의 속도를 안내하는 신호가 나오기도 한다. 그런 경우에는 그 신호에 맞추어 가슴압박과 인공호흡을 시행하면 된다.

4. 자동제세동기 사용의 특별한 상황

1) 가슴에 털이 많은 환자

심장정지가 발생한 환자의 가슴에 털이 많은 경우, 패드 부착 시 심전도 분석이 되지 않는 경우도 있다. 이러한 경우에는 환자의 가슴에 붙어있는 패드를 더 단단하게 밀착되도록 눌러 본다. 그래도 작동되지 않는 경우에는 패드를 강하게 잡아당겨 제거하면서 동시에 환자 가슴의 털을 제거한다. 패드의 접착력이 강하므로 환자의 털이 잘 제거된다. 이렇게 사용한 패드는 버리고, 새로운 패드를 환자 가슴에 붙인 뒤 자동제세동기를 작동시킨다.

가슴 털을 제거하는 다른 방법으로는 면반창고를 붙였다 떼었다를 반복하는 것도 있다.

2) 물에 빠진 사람

물에 빠진 사람에게서 심장정지가 발생한 경우에 자동제세동기를 사용할 경우 주의할 점이 몇 가지 있다. 첫째, 환자의 몸이나 옷에서 흘러나온 물이 구조자의 몸이나 옷을 적신 상태에서 자동제세동기가 작동하면 제세동 전류가 구조자에게 전달될 수 있다. 물에 빠진 심장정지 환자는 마른 곳으로 옮긴 상태에서 자동제세동기를 사용해야 한다. 둘째, 환자 가슴에 물이 많이 묻어 있는 경우에 제세동이 시행되면 전류가 환자의 가슴표면을 따라 전달될 수 있다. 이것은 심근에 전달되는 쇼크의 에너지를 감소시켜 자동제세동기의 성공률을 감소시킨다. 물에 빠진 심장정지 환자는 가능하면 가슴을 한번 닦아주고 물기를 최대한 제거한 후에 자동제세동기를 작동시킨다.

3) 약물 패치

일부 약물은 패치 형태로 몸에 붙이는 형태가 있다. 이러한 패치가 자동제세동기 패드를 붙이는 곳에 존재하지 않는다면 신경쓰지 않아도 된다. 만약 자동제세동기 패드를 붙여야 할 곳에 약물 패치가 붙어있다면 약물 패치를 떼어낸 뒤에 패드를 붙여야 한다[17]. 만약 약물 패치를 떼어낸 뒤 남아있는 약물을 재빨리 닦아낼 수 있는 상황이면, 약물을 닦아내고 자동제세동기 패드를 붙이는 것을 권장하나, 재빨리 닦는 것이 불가능하다면 약물 패치만 제거한 후에 자동세제동기 패드를 바로 붙인다.

4) 심박동조율기(Pacemaker), 체내제세동기(Internal Defibrillator)

심박조율기 또는 체내제세동기를 가슴의 피부 밑에 삽입한 환자에게 자동제세동기를 사용하는 경우 몇 가지 주의사항이 있다. 이렇게 삽입되어 있는 심박조율기는 오백원 동전 크기로, 체내제세동기는 신용카드 크기로 피부가 솟아 올라와 있는 것을 통해 삽입 여부를 알 수 있다. 보통 심박조율기는 왼쪽 빗장뼈 밑에, 체내제세동기는 가슴뼈 좌측 경계 옆에 삽입된 경우가 많으나 환자에 따라 위치가 달라질 수 있다.

심박동조율기나 체내제세동기가 자동제세동기 패드를 붙이는 곳에 위치하지 않으면 상관없이 자동제세동기 패드를 붙인다. 그러나 자동제세동기 패드를 붙이는 곳에 위의 장비들이 삽입되어 있다면, 장비가 삽입되어 있는 곳을 피해서 (피부가 솟아 올라온 곳을 벗어나서) 자동제세동기 패드를 붙인다[18,19].

5) 병원내에서 자동제세동기의 적용

병원내 심장정지 환자에서도 수동 제세동기를 자주 사용하지 않거나, 심전도 판독에 어려움이 있는 의료진이 근무하는 경우, 자동제세동기를 사용하는 것이 바람직하다[20]. 이러한 자동제세동기를 사용할 의료진들에게 자동제세동기 사용에 관해 정기적인 교육이 이뤄져야 한다.

5. 자동제세동기 단계별 요약

요약	단계
1.전원 켜기 자동제세동기의 전원을 켠다.	
2. 두 개의 패드 부착 오른쪽 패드는 오른쪽 빗장뼈 밑에, 왼쪽 패드는 왼쪽 중간겨드랑선에 붙인다.	
3. 심장 리듬 분석 분석을 시작하기 전에 물러나라는 신호가 나오면, 모두 물러나게 하고, 자동으로 분석이 시작된다.	

Cardiopulmonary Resuscitation

4. 제세동

분석 결과 "제세동이 필요하다"는 신호가 나오며 자동으로 충전이 된다. 충전이 완료 되기 직전에 다시 모두 물러라는 신호가 나오면, 모두 물러나게 하고, 제세동 버튼을 누른다.

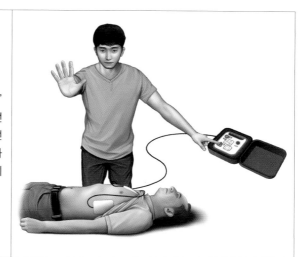

5. 즉시 가슴압박 시작

제세동을 시행한 후 즉시 가슴압박을 시작한다. 30:2의 비율로 가슴압박과 인공호흡을 반복한다. 자동제세동기는 2분 후 자동으로 다시 분석 단계를 시작한다.

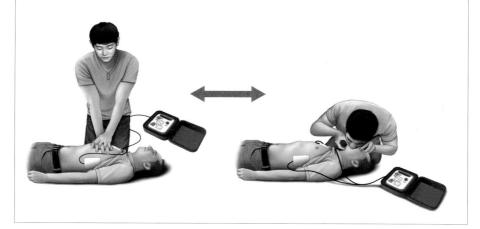

Reference

1. 조범규, 김상철, 김현, 등. 서울시 병원전 심정지 환자의 심폐소생술에 대한 전향적 다기관 평가. 대한응급의학회지 2009;20(4):355-64.

2. Ian GS, George AW, Brian Field, Daniel WS, Lisa PN, et al. Advanced Cardiac Life Support in Out-of-Hospital Cardiac Arrest. N Engl J Med. 2004;351:647-56.

3. Larsen MP, Eisenberg MS, Cummins RO, Hallstrom AP. Predicting survival from out-of-hospital cardiac arrest: a graphic model. Ann Emerg Med. 1993;22:1652 – 1658.ol. 1985;8:57 – 66.

4. Kitamura T, Iwami T, Kawamura T, et al. Nationwide public-access defibrillation in Japan. N Engl J Med. 2010;362:994-1004.

5. Caffrey SL, Willoughby PJ, Pepe PE, Becker LB. Public use of automated external defibrillators. N Engl J Med. 2002;347:1242-7.

6. Folke F, Lippert FK, Nielsen SL, et al. Location of cardiac arrest in a city center: strategic placement of automated external defibrillators in public locations. Circulation. 2009;120:510-7.

7. England H, Hoffman C, Hodgman T, Singh S, Homoud M, et al. Effectiveness of automated external defibrillators in high schools in greater Boston. Am J Cardiol. 2005;95:1484-6.

8. 이재성, 이화평, 손유동, 안희철, 고봉연, 왕순주. 경기도 지역 119 구급대원들의 자동제세동기 사용에 대한 고찰. 대한응급의학회지. 2008;19(1):15-21.

9. Mark SL, Dianne LA, Rod SP, Henry RH, Ricardo AS, er al. 2010 American Heart Association Guidelines for Cardiopulmonary Resuscitation and Emergency Cardiovascular Care. Part 6: Electrical Therapies. Circulation. 2010;122:S706-19.

10. Berg RA, Chapman FW, Berg MD, Hilwig RW, Banville I, Walker RG, etc. Attenuated adult biphasic shocks compared with weight-based monophasic shocks in a swine model of prolonged pediatric ventricular fibrillation. Resuscitation. 2004;61:189-97.

11. Bar-Cohen Y, Walsh EP, Love BA, Cecchin F. First appropriate use of automated external defibrillator in an infant. Resuscitation. 2005;67:135-7.

12. Krasteva V, Matveev M, Mudrov N, Prokopova R. Transthoracic impedance study with large self-adhesive electrodes in two conventional positions for defibrillation. Physiol Meas. 2006;27:1009-22.

13. Brazdzionyte J, Babarskiene RM, Stanaitiene G. Anterior-posterior versus anterior-lateral electrode position for biphasic cardioversion of atrial fibrillation. Medicina. 2006;42:994-8.

14. Wik L, Kramer-Johansen J, Myklebust H, Sorebo H, Svensson L, et al. Quality of cardiopulmonary resuscitation during out-of-hospital cardiac arrest. JAMA. 2005;293:299-304.

15. Abella BS, Alvarado JP, Myklebust H, Edelson DP, Barry A, O'Hearn N, Vanden Hoek TL, Becker LB. Quality of cardiopulmonary resuscitation during in-hospital cardiac arrest. JAMA. 2005;293:305-10.

16. Williamson LJ, Larsen PD, Tzeng YC, Galletly DC. Effect of automatic external defibrillator audio prompts on cardiopulmonary resuscitation performance. Emerg Med J. 2005 Feb;22(2):140-3.

17. Panacek EA, Munger MA, Rutherford WF, Gardner SF. Report of nitropatch explosions complicating defibrillation. Am J Emerg Med. 1992;10:128-9.

18. Manegold JC, Israel CW, Ehrlich JR, Duray G, Pajitnev D, et al. External cardioversion of atrial fibrillation in patients with implanted pacemaker or cardioverter-defibrillator systems: a randomized comparison of monophasic and biphasic shock energy application. Eur Heart J. 2007;28:1731-8.

19. Monsieurs KG, Conraads VM, Goethals MP, Snoeck JP, Bossaert LL. Semi-automatic external defibrillation and implanted cardiac pacemakers: understanding the interactions during resuscitation. Resuscitation. 1995;30:127-31.

20. Kaye W, Mancini ME, Richards N. Organizing and implementing a hospital-wide first-responder automated external defibrillation program: strengthening the in-hospital chain of survival. Resuscitation. 1995;30:151-6.

소아 심장정지 환자의 기본소생술

1. 개요

소아 기본소생술은 지역 의료체계의 주요한 요소이며, 지역 의료체계는 생존사슬과 관련된 일련의 과정이 모두 적절히 시행되도록 운영되어야 한다. 소아의 생존사슬은 심장정지 인지와 구조요청-목격자 심폐소생술-제세동-소아 전문소생술-소생후 치료의 다섯 가지 요소로 이루어진다(그림 6-1). 생존사슬의 앞 3가지 사슬이 소아 기본소생술에 해당한다. 성인에서와 같이 소아에서도 일반인에 의한 신속하고 효과적인 심폐소생술은 성공적인 자발순환회복과 신경학적 회복에 도움이 된다. 소아에서는 심장정지의 원인에 따라 생존율의 편차가 크다. 호흡성 정지에 의한 경우, 신경학적으로 정상인 생존율은 70%이며, 심실세동에 의한 심장정지인 경우의 생존율은 20-30%이다.

2. 소아 심장정지 환자의 생존사슬

심폐소생술에서 '성인과 소아' 및 '소아와 영아'의 구분은 각각 8세와 1세 연령을 기준으로 나눠진다. 즉, 1세 미만은 영아, 만 1세부터 만 8세 미만을 소아로 정의하며, 만 8세 이상을 성인으로 규정한다. 만 8세 미만의 소아와 영아에서의 심장정지는 성인과 달리 주로 급성 기도폐쇄, 호흡마비, 손상, 영아돌연사증후군, 패혈증 등의 비심장성 원인에 의해 유발된다. 그러므로 소아 심장정지 환자에서는 심장정지 인지와 구조요청, 인공호흡을 포함하는 심폐소생술이 중요하다.

그림 6-1. (a) 소아 병원밖 심장정지 생존사슬, (b) 소아 병원내 심장정지 생존사슬

3. 심폐소생술에서의 소아와 성인의 구분

소아와 성인 사이에는 심장정지 원인에 차이가 있으며 체구가 다르기 때문에 심폐소생술의 방법에도 약간의 차이가 있다. 그러나 한 가지 특징만으로는 소아와 성인을 구분하기 어렵고 심폐소생술 방법을 다르게 적용해야 하는 나이를 결정하기 위한 과학적 근거가 부족하다. 나이의 구분은 심장정지 현장에서의 적용 가능성과 교육의 편의성을 고려하여 결정된다. 소아의 체구가 커서 성인과의 구분이 어려울 때에는 구조자의 판단에 따라 소아 또는 성인 심폐소생술을 적용하면 된다. 비록 구조자가 심장정지 환자의 연령을 잘못 판단하였더라도 환자에게 중대한 위해를 초래하지는 않는다.

심폐소생술에서 나이의 정의는 다음과 같다.

1) 소아 심장정지에서 예방의 중요성

1세가 넘은 소아의 가장 흔한 심장정지 원인은 외상이다. 이 때문에 성인에서의 급성 심장정지와 달리 소아 심장정지의 상당 부분은 예방이 가능하다. 1세 이상 소아의 주요 손상 원인인 교통사고는 안전띠 착용, 소아용 카시트 장착 등을 통해 예방할 수 있다.

2) 신속한 신고 및 심폐소생술

소아 심장정지가 의심될 때 "신속한 심폐소생술"이 "신속한 신고"보다 우선적으로 고려되기도 하지만, 휴대전화 보급률이 높은 우리나라의 현실을 고려할 때 성인 심장정지와 마찬가지로 소아 심장정지 의심 환자를 발견한 즉시 119에 신고하도록 한다. 소아의 병원밖 심장정지에 대한 국내 연구결과를 보면, 심장정지 발생 이후 심폐소생술 시작이 빠를수록 자발순환회복률이 높게 나타났고, 현장에서의 신속하고 효과적인 일반인 심폐소생술이 병원밖 심장정지 소아의 자발순환 회복률을 높이며, 생존퇴원 시 좋은 신경학적 결과를 보였다.

3) 일반인을 위한 소아 기본소생술

일반인이나 보건의료인 구분 없이 소아는 만 1세부터 만 8세까지로 구분한다. 소아 기본소생술의 흐름도는 그림 6-2와 같다. 소아는 심실세동에 의한 심장정지보다 질식성 심장정지가 훨씬 흔하기 때문에 소아소생술을 수행할 때에는 인공호흡이 매우 중요하다. 그러나 소아 심장정지 환자에서도 심폐소생술의 순서는 교육과 훈련의 단일화와 2015년 심폐소생술 가이드라인의 연속적인 의미에서 성인과 마찬가지로 가슴압박을 먼저하고 인공호흡을 시행한다.

4. 소아기본소생술의 순서

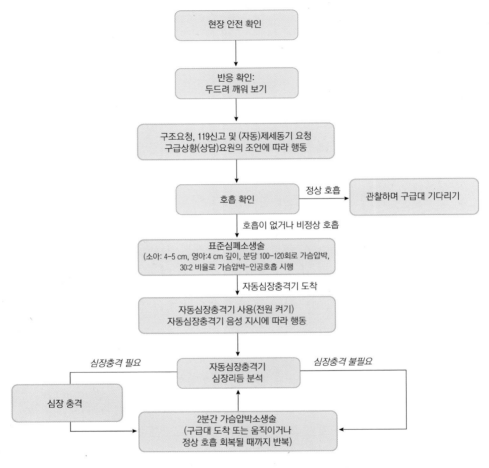

그림 6-2. 일반인 구조자에 의한 소아 기본소생술 순서

표 6-1. 일반인을 위한 소아 기본소생술 참고표

치료	내용	
소생술이 필요한 호흡	호흡이 없거나 헐떡거리는 양상의 심장정지 호흡을 보일 경우	
가슴압박	압박 위치	소아: 가슴뼈의 아래쪽 1/2
	압박 깊이	가슴 전후 두께의 최소 1/3 이상 압박(4-5 cm)
	압박 속도	분당 100-120회
가슴압박 대 인공호흡 비율	가슴압박 : 인공호흡 = 30 : 2 구조자가 인공호흡을 할 수 없는 경우 가슴압박소생술 시행	
자동심장충격기 사용	자동심장충격기가 도착하는 즉시 전원을 켜고 사용	
심장리듬 분석	가슴압박을 중단한 상태에서 시행	
제세동 후 심폐소생술	제세동 후 즉시 가슴압박을 다시 시작	

1) 구조자와 환자의 안전

심폐소생술을 할 때에는 언제나 구조자와 환자의 주변 지역의 안전을 확인해야 한다. 이론적으로 심폐소생술은 감염성질환의 전파 위험을 가지고 있지만, 실제 구조자의 위험은 매우 낮다.

2) 반응의 확인

환자에게 심폐소생술이 필요한 상태인가를 먼저 확인한다. 의식이 없는 환자가 숨을 헐떡이고 있거나 호흡이 없다면 심장정지 상태이며 심폐소생술이 필요하다고 판단해야 한다. 소아의 어깨를 두드리며 "얘야 괜찮니?"와 같이 소리치거나, 이름을 알면 이름을 불러본다. 환자가 손상을 입은 상태는 아닌지, 어떤 의학적 처치가 필요하지는 않은지 등을 신속하게 확인한다.

3) 응급의료체계 활성화

환자가 자극에 반응이 없고 목격자가 한명이라면 주위에 큰 소리로 119에 신고할 것과 자동제세동기를 가져다 줄 것을 요청한다. 주변에 아무도 없을 경우에는 목격자가 즉시 119에 구조요청을 한다. 휴대전화를 소지하고 있다면, 환자의 곁을 떠나지 말고 현장에서 바로 전화를 하도록 한다. 의식이 없는 환자가 있음을 알리고 자동제세동기를 요청한다. 구급상황(상담)요원의 지시가 있을 경우, 이에 따라 응급처치를 시행한다. 목격자가 두 명 이상이라면, 한 명은 즉시 심폐소생술을 시작하고, 다른 한 명은 응급의료체계에 신고를 하면서 자동제세동기를 환자 곁으로 가져온다.

대부분의 소아 심장정지는 심실세동에 의한 것보다 호흡 정지에 의한 경우이다. 따라서 목격자가 혼자이며 휴대전화가 없는 상황이라면 2분간 먼저 심폐소생술을 실시한 후, 응급의료체계에 신고하고 근처의 자동제세동기를 가져온다. 가능한 환자 곁으로 빨리 돌아와 자동제세동기를 사용하고, 자동제세동기가 없다면 심폐소생술을 다시 시작한다.

4) 호흡 확인

환자가 정상적으로 숨을 쉬는 것이 확인되면 심폐소생술이 필요한 상태가 아니다. 환자에게 외상이 의심되지 않는다면, 옆으로 눕는 회복자세를 취해주는 것이 기도 유지에 도움을 주면서 흡인 위험을 줄여줄 수 있다. 119가 도착할 때까지 반복적으로 환자의 호흡상태를 확인한다.

호흡곤란이 있는 소아는 기도가 더 많이 열리고 호흡이 최적화되는 자세를 스스로 취하므로, 만일 호흡곤란이 있는 소아가 스스로 더 편한 자세를 취하려고 하면 그대로 유지하게 한다. 만일 환자가 반응이 없고 숨을 쉬지 않거나 헐떡이는 숨(심장정지 호흡)을 쉬고 있는 상태라면 심폐소생술을 시작한다. 간혹, 심폐소생술이 필요한 환자의 헐떡이는 숨을 쉬는 것을 정상 호흡으로 오인할 수 있다. 헐떡이는 숨을 쉬는 환자는 숨을 쉬지 않는 경우와 마찬가지로 생각하고 심폐소생술을 시작한다.

5) 가슴압박

심장정지 상태에서 적절한 가슴압박은 주요 장기로 혈류를 유지하고 자발순환 회복의 가능성을 높인다. 소아가 반응이 없고 숨을 쉬지 않는 상태라면, 즉시

Cardiopulmonary Resuscitation

30번의 가슴압박을 실시한다. 심장에 혈액이 다시 채워질 수 있도록 매 가슴압박 때 가슴을 완전히 이완시키고 가슴압박 중단을 최소화해야 한다. 효과적인 가슴압박을 위하여 평평하고 딱딱한 바닥에 눕혀서 실시하는 것이 가장 좋다. 적절한 가슴압박은 분당 100-120회를 압박하는 속도로 실시하며, 영아 또는 소아환자의 가슴 전후 직경(가슴 두께)의 1/3 깊이 4-5 cm로 압박해야 한다.

압박 위치는 가슴뼈 아래 1/2 부분을, 한 손 또는 두 손의 손꿈치를 이용하여 환자의 가슴 전후 직경(가슴 두께)의 최소 1/3 깊이(약 4-5 cm)를 압박하여야 한다. 이때 칼돌기와 갈비뼈를 누르지 않는다(그림 6-3). 한 손 또는 두 손으로 매번 압박을 할 때마다 적절한 깊이가 유지되어야 하며 가슴압박 후에는 가슴이 정상위치로 다시 이완되도록 해야 한다.

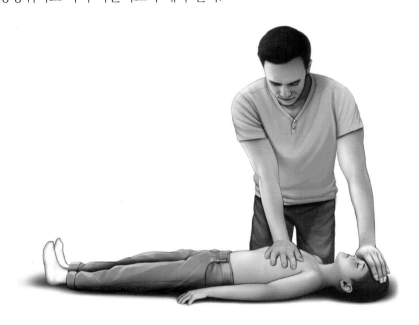

그림 6-3. 소아의 가슴압박

소아 심폐소생술 도중, 구조자들이 지쳤을 때 가슴이완이 불완전한 경우가 많다. 불완전한 가슴이완은 흉강 내부의 압력을 증가시키고 정맥 환류, 관상동맥 관류, 심박출량, 뇌동맥으로 가는 관류를 감소시킨다. 구조자의 피로는 가슴압박의 속도, 깊이, 가슴이완 모두를 부적절하게 만들 수 있다. 구조자 본인이 지친 것을 부정하고 소생술을 계속한다고 해도 가슴압박의 질은 수분 내에 저하된다. 두 명 이상의 구조자가 있으면 가슴압박 역할을 2분마다 바꾸어 구조자가 지치는 것을 방지하고 가슴압박의 질과 속도가 떨어지는 것을 막아야 한다. 가슴압박 역할 교대는 가능한 빨리(이상적으로 5초 이내) 수행하여 가슴압박의 중단을 최소화해야 한다. 응급의료체계 전문구조요원이 도착하거나 환자가 스스로 숨을 쉴 때까지 30회의 가슴압박과 2회의 인공호흡 주기를 반복한다. 소아 심폐소생술은 성인과 달리 가슴압박과 인공호흡이 함께 제공되어야만 최상의 결과를 얻을 수 있다. 병원내 또는 병원밖 소아 심폐소생술 시행자는 인공호흡과 가슴압박을 함께 하는 소생술을 시행해야 하지만, 만약 구조자가 인공호흡에 대한 훈련이 되어있지 않거나, 할 수 없는 상황이라면 구급대가 도착할 때까지 가슴압박 소생술만이라도 계속해야 한다.

6) 기도 열기와 인공호흡

1인 구조자의 가슴압박과 인공호흡의 비율은 30:2이다. 처음 30회 가슴압박을 시행하고 기도를 열고 2회 인공호흡을 한다. 반응이 없는 소아는 혀가 기도를 막을 수 있으므로 외상이 있거나 없거나 모두 머리기울임-턱들어올리기 방법을 이용하여 기도를 열어준다. 소아에게 인공호흡을 하려면 입-입 인공호흡을 한다. 호흡을 불어넣을 때 가슴이 올라오는 것을 확인해야 하며 각 호흡은 1초에 걸쳐 실시한다. 가슴이 올라오지 않는다면, 머리 위치를 다시 확인하고 호흡이 밖으로 새지 않게 좀 더 확실하게 밀착하여 인공호흡을 시도해 본다. 머리 기울기 정도를 조절하여 최상의 기도 유지와 효과적인 인공호흡이 가능한 위치를 찾아볼 필요도 있다. 1인 구조자의 경우 30회 가슴압박 후 2회의 인공호흡을 가능한 짧은 시간 동안 시행하여 가슴압박 중단 시간을 최소화하여야 한다. 2인 구조자의 경우 한 명은 가슴압박을, 다른 한 명은 인공호흡을 담당하여 가슴압박 15회 후 인공호흡 2회를 번갈아서 시행하도록 한다. 가슴압박과 인공호흡을 동시에 시행하면 안 되지만 가슴압박 중단 시간을 최소화하기 위하여 가슴압박과 인공호흡이 즉시 연결되어 시행되도록 한다.

7) 가슴압박과 인공호흡의 비율

2회의 인공호흡을 시행한 후, 즉시 30회의 가슴압박을 시행한다. 1인 구조자가 가슴압박과 인공호흡을 30:2 비율로 5주기를 시행하는 데에는 약 2분 정도 소요된다. 2인 구조자의 경우에 15:2 비율로 10주기 후에 가슴압박과 인공호흡의 역할을 교대하여 시행하도록 한다.

5. 보건의료인을 위한 소아 기본소생술

보건의료인을 위한 소아 기본소생술 과정은 몇 가지 차이가 있지만 기본적으로 일반인을 위한 소아 기본소생술과 거의 유사하다(그림 6-4, 6-5). 보건의료인들은 혼자 구조하기보다는 대부분 팀으로 활동하게 되므로 일련의 과정으로 이루어진 각 활동들은 동시에 이루어지기 때문에(예, 가슴압박을 하는 동안 인공호흡 준비) 각 활동의 우선순위는 상대적으로 덜 강조된다.

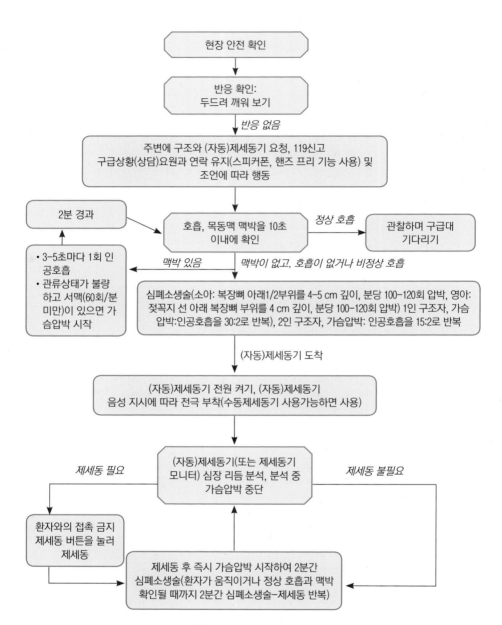

그림 6-4. 병원밖 보건의료인에 의한 소아 기본소생술 순서

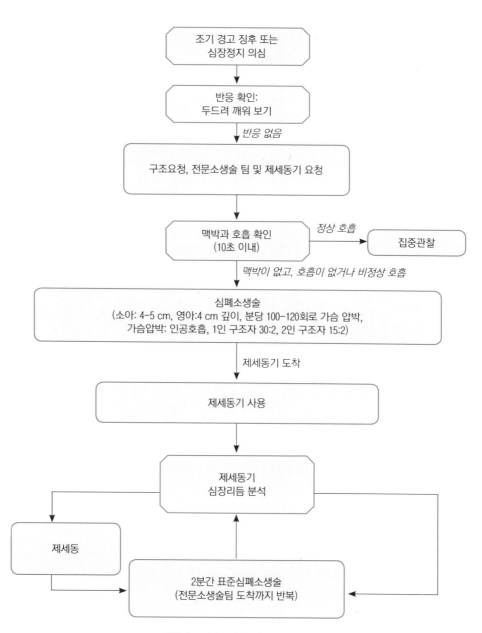

그림 6-5. 병원내 보건의료인에 의한 소아 기본소생술 순서

표 6-2. 보건의료인을 위한 소아 기본소생술 참고표

치료		내용
소생술이 필요한 호흡		호흡이 없거나 헐떡거리는 양상의 심장정지 호흡을 보일 경우
호흡과 맥박의 확인		10초 이내에 무호흡(또는 비정상 호흡)과 맥박을 동시에 확인
가슴압박	압박 위치	소아: 가슴뼈의 아래쪽 1/2
	압박 깊이	가슴두께의 최소 1/3이상(약 4-5 cm)
	압박 속도	분당 100-120회
가슴압박 대 인공호흡 비율	1인 구조	가슴압박 : 인공호흡 = 30 : 2
	2인 구조	가슴압박 : 인공호흡 = 15 : 2
	구조자가 인공호흡을 할 수 없는 경우 가슴압박소생술 시행	
자발 순환 회복 후		맥박이 분당 60회 이상이고 관류상태가 양호한 경우 3-5초마다 1회 인공호흡
심장리듬 분석		가슴압박을 중단한 상태에서 시행
제세동 후 심폐소생술		제세동 후 즉시 가슴압박을 다시 시작

1) 구조자와 환자의 안전

심폐소생술을 할 때에는 언제나 구조자와 환자가 있는 지역의 안전을 확인해야
한다.

2) 반응의 확인

환자에게 심폐소생술이 필요한 상태인가를 먼저 평가한다. 의식이 없는 환자가
숨을 헐떡이고 있거나 호흡이 없다면 심장정지 상태이며 심폐소생술이 필요하
다고 판단해야 한다. 소아의 어깨를 두드리며 "얘야 괜찮니?"와 같이 소리치거
나, 이름을 알면 이름을 불러본다. 환자가 손상을 입은 상태는 아닌지, 어떤 의
학적 처치가 필요하지는 않은지 등을 신속하게 확인한다.

3) 응급의료체계 활성화

만일 환자가 반응이 없고 숨을 쉬지 않는다면(헐떡거리는 양상의 비정상적인 호흡 포함) 주변에 있는 사람에게 응급의료체계를 활성화시키고 자동제세동기를 가져오도록 요청한다.

4) 환자의 맥박 확인

소아가 반응이 없고 정상적으로 숨을 쉬고 있지 않다면 보건의료인은 10초 이내의 시간 동안 맥박을 확인할 수 있다. 맥박 확인은 목동맥을 촉지하고, 촉지가 잘 안 되면 넙다리동맥을 같이 촉지한다. 10초 이내에 맥박을 촉지하지 못하거나 맥박의 존재 여부가 불확실하다면 가슴압박을 시작한다.

① 맥박이 잘 만져지면서 호흡이 불충분한 경우

맥박이 분당 60회 이상이지만 호흡이 부적절하다면 자발호흡이 회복될 때까지 분당 12-20회의 속도로 구조 호흡을 제공한다(약 3-5초당 1회의 호흡). 맥박은 2분마다 재확인하며 맥박 확인 시간은 10초를 초과하지 않아야 한다.

② 서맥이 있고 전신 관류 상태가 불량한 경우

맥박이 분당 60회 이하이고 산소를 제공하는 환기를 실시하여도 관류 상태가 좋지 못하면(예, 피부가 창백하거나 반점 같은 얼룩이 생기거나, 청색증을 보일 때) 가슴압박을 시작한다. 소아의 심박출량은 상당부분 심박수에 따라 달라지기 때문에 관류상태가 좋지 않은 서맥은 가슴압박이 필요함을 나타내는 신호이다. 심장정지가 발생하기 이전에 즉각적으로 심폐소생술을 시행해야 생존율을 향상시킬 수 있다. 가슴압박을 시작해야 하는 심장박동수의 절대적 기준은 아직 명확하지 않으나, 교육의 편의성과 술기의 기억을 위해 심박수가 60회 미만이면서 관류 상태가 좋지 않을 때는 가슴압박을 시행하도록 권장한다.

5) 가슴압박

소아가 반응이 없고 호흡과 맥박이 없다면(또는 맥박의 존재여부가 불확실하다면) 가슴압박을 시작한다.

6) 기도 열기와 인공호흡

30회의 가슴압박 후(구조자가 2인일 경우 15회의 가슴압박 후) 머리기울임-턱들어올리기 방법으로 기도를 열고 인공호흡을 2회 실시한다. 척추 손상을 의심해야 하는 외상의 징후가 있다면 머리 기울이기는 하지 않고 턱밀어올리기 방법으로 기도를 개방한다. 소아 심폐소생술에서는 기도를 열고 적절하게 인공호흡을 하는 것이 매우 중요하기 때문에 턱밀어올리기 방법으로 기도를 열지 못한다면 머리기울임-턱들어올리기 방법을 적용한다.

6. 소아 기본소생술 시행방법의 요약

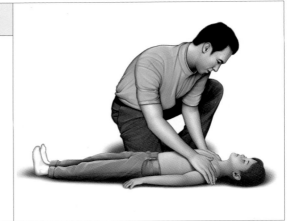

① 심장정지 확인

- 양쪽 어깨를 가볍게 두드리며, 큰 목소리로 '얘야? 괜찮니?'와 같이 소리치거나 이름을 알면 이름을 부른다.
- 아이의 움직임, 눈 깜박임, 대답 등으로 반응을 확인한다 (심장정지: 무반응).
- 반응이 없더라도 움직임이 있거나 호흡을 하는 경우는 심장정지가 아니다.

② 도움 요청 및 119 신고, 자동제세동기 요청

- 반응이 없으면, 119에 신고하고 자동제세동기를 요청한다. 주변에 도와줄 사람이 있으면 지목하여 부탁하고, 도와줄 사람이 없으면 본인이 직접 119에 신고한다.
- 휴대전화를 가지고 있지 않은 상황에서 혼자 있다면 심폐소생술을 2분간 시행한 다음에 119에 신고한다.
- 아이가 쓰러지는 것을 목격한 경우에는 119 신고와 함께 자동제세동기를 가져오도록 주변 사람에게 요청한다.

③ 호흡 확인

- 119에 신고하고 자동제세동기를 요청한 후 구급상황(상담)요원의 안내에 따라 호흡의 유무 및 비정상 여부를 판단한다(심장정지 환자: 무호흡 또는 비정상 호흡).
- 호흡이 없거나 호흡이 있더라도 비정상 호흡(심장정지 호흡, 헐떡이는 호흡, gasping)이라고 판단되면 심장정지가 의심되므로 즉시 가슴압박을 시작한다.
- 반응이 없으나 정상의 호흡을 보이는 경우에는 회복자세를 취해 입안의 이물이 기도로 흡인되는 것을 예방한다.

④ 가슴압박 30회 시행

- 가슴뼈의 아래쪽 1/2에 깍지 낀 두 손의 손바닥 손꿈치를 댄다.
- 양팔의 팔꿈치를 곧게 펴고, 체중을 실어서 환아 가슴 두께의 최소 1/3 이상(4–5 cm) 눌리도록 강하게 압박한다.
- '하나', '둘', '셋',…, '스물아홉', '서른'하고 소리내어 숫자를 세면서 1분에 100–120회의 속도로 빠르게 압박한다.
- 매 번의 압박 직후 압박된 가슴은 원래 상태로 완전히 이완되도록 한다.
- 소아의 체구가 작으면 한 손으로 압박한다.

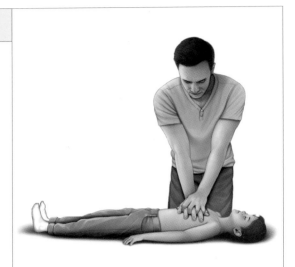

⑤ 인공호흡 2회 시행

- 머리기울임–턱들어올리기 방법으로 기도를 개방시킨다.

- 이마쪽 손의 엄지와 검지로 환아의 코를 막고 입을 크게 벌려 환아의 입에 완전히 밀착한 뒤에, 보통 호흡으로 1초 동안 환아의 가슴이 상승될 정도로 숨을 불어 넣는다. 절대로 과도하게 불어넣지 않는다.
- 불어넣은 후 즉시 입을 떼고, 코를 막은 손가락을 놓아 숨을 내쉬게 한다.

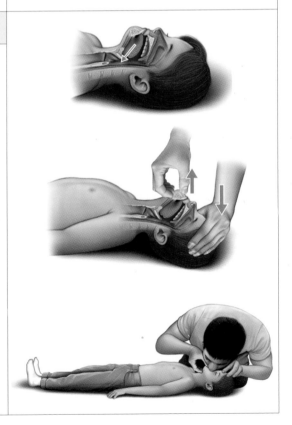

⑥ 가슴압박과 인공호흡의 반복

■ 30회의 가슴압박과 2회의 인공호흡을 119 구급대원이 도착할 때까지 반복하여 시행한다.

■ 다른 구조자가 있는 경우에는 한명의 구조자는 가슴압박을 하고, 다른 구조자는 인공호흡을 시행하며, 가슴압박 15회와 인공호흡 2회를 반복하면서, 2분마다 서로 역할을 교대한다.

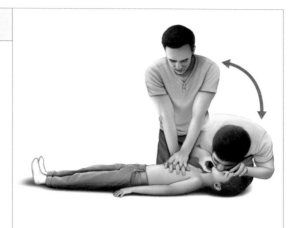

⑦ 회복자세

- 가슴압박과 인공호흡을 반복하던 중에 환아가 회복되어 소리를 내거나 움직이면, 호흡도 회복되었는지 확인한다.

- 호흡도 회복되었으면, 환아를 옆으로 돌려 눕혀 기도가 막히는 것을 예방한다(회복자세). 그 후 계속 움직이고 호흡을 하는지 관찰한다.

- 환아의 반응과 정상적인 호흡이 없어지면 심장정지가 재발한 것이므로 가슴압박과 인공호흡을 즉시 다시 시작한다.

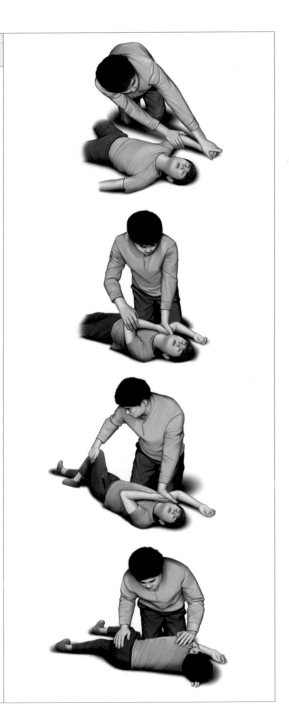

영아 심장정지 환자의 기본소생술

영아 기본소생술은 영아 심장정지 환자의 자발 순환 회복과 생존율에 가장 큰 영향을 미치는 요인이다. 영아의 생존사슬은 성인과 마찬가지로 심장정지 인지 및 구조 요청에서 시작되지만, 이보다 앞서 심장정지를 예방하고자 하는 노력이 더 강조된다. 병원밖 심장정지에서는 손상 예방과 안전을 위한 여러 제도적 장치를 마련해야 하고, 병원내 심장정지에서는 조기경보체계 등을 활용하여 심장 정지 상태에 이르지 않게 하는 것이 중요하다. 다음 생존사슬의 다섯 가지 요소 중에서 첫 세 가지 고리가 기본소생술 영역에 해당한다(그림 7-1). 영아에서도 일반인에 의한 신속하고 효과적인 심폐소생술이 성공적인 자발순환회복과 신경 학적 회복에 도움이 된다.

그림 7-1. 영아의 생존사슬
병원밖(위), 병원내(아래)

1. 영아 심장정지에서 예방의 중요성

신생아와 영아에서 심장정지의 주원인은 호흡부전, 영아돌연사증후군 등이며 성인의 급성 심장정지와 달리 적절한 환경 관리 및 생활습관의 변경으로 상당 부분 예방할 수 있다. 영아 돌연사증후군에서는 아이를 엎드려 재우지 않고 푹신한 바닥에 눕히지 않는 것, 보호자의 금연 등이 중요하고 교통사고로 인한 심장정지 예방을 위해서는 체중이 9 kg을 넘지 않는 1세 미만의 영아의 경우 아기용 자동차 안전시트를 후면을 향하게 하여 사용하는 것이 필요하다.

2. 심장정지 인지, 구조 요청 및 목격자 심폐소생술

영아는 질식성 심장정지가 더 흔하므로 "목격자 심폐소생술"이 "구조요청" 못지 않게 중요하다. 하지만 휴대전화 보급률이 높은 우리나라의 현실을 고려하면 영아 심장정지 의심 환자를 발견한 즉시 성인의 경우와 동일하게 먼저 119에 신고하고 심폐소생술을 시작한다.

3. 일반인을 위한 영아 기본소생술 순서

영아는 만 1세 미만의 아기로 정의한다. 영아는 심장 원인으로 발생한 심장정지보다 질식성 심장정지가 훨씬 흔하기 때문에 영아 심폐소생술에서는 인공호흡도 매우 중요하다. 그러나 교육과 훈련의 단일화 및 기존 2015년 심폐소생술 가이드라인의 연속성을 유지하는 의미에서 소아와 마찬가지로 인공호흡보다 가슴압박을 먼저 시행한다(표 1).

표 7-1. 일반인을 위한 영아 기본소생술 참고표

치 료	내 용	
소생술이 필요한 호흡	호흡이 없거나 헐떡거리는 양상의 심장정지 호흡을 보일 경우	
가슴압박	압박 위치	영아: 젖꼭지 연결선 바로 아래의 가슴뼈
	압박 깊이	가슴두께의 최소 1/3 이상 (4 cm)
	압박 속도	분당 100–120회
가슴압박 대 인공호흡 비율	가슴압박 : 인공호흡 = 30 : 2 구조자가 인공호흡을 할 수 없는 경우 가슴압박소생술 시행	
자동제세동기 사용	자동제세동기가 도착하는 즉시 전원을 켜고 사용	
심장리듬 분석	가슴압박을 중단한 상태에서 시행	
제세동 후 심폐소생술	제세동 후 즉시 가슴압박을 다시 시작	

1) 구조자와 환자의 안전

심폐소생술을 할 때에는 언제나 구조자와 환자가 있는 곳의 안전을 확인해야 한다. 이론적으로는 심폐소생술로 인한 감염성 질환의 전파 위험이 높지 않은 것으로 알려져 있으나 코로나19 같은 감염성 질환 유행 상황이라면 구조자는 반드시 마스크를 쓰고 개인 보호구를 착용해야 한다.

2) 심장정지의 인지와 반응의 확인

심폐소생술이 필요한 상태인지 확인한다. 숨을 헐떡이고 있거나 호흡이 없다면 심장정지 상태이며 심폐소생술이 필요하다고 생각해야 한다. 영아의 발바닥을 두드리며 "애야 괜찮니?"와 같이 소리치거나 이름을 알면 이름을 불러본다. 환자가 손상을 입은 상태는 아닌지, 다른 의학적 처치가 필요하지는 않은지 등을 신속하게 확인한다.

3) 응급의료체계 활성화

응급의료체계 활성화 과정과 방법은 소아와 같다. 만약 영아가 자극에 반응이 없고 목격자가 한 명이라면 우선 큰 소리로 도움을 요청한다. 주변에 사람이 있다면 119에 신고하고 자동제세동기를 가져오도록 요청하지만 주변에 아무도 없을 때는 최초 발견자가 즉시 119에 구조 요청을 하고 심폐소생술을 시작한다. 구조자가 혼자이고 휴대전화가 없는 상황이라면, 2분간 먼저 심폐소생술을 실시하고 나서 응급의료체계에 신고하고 근처의 자동제세동기를 가져온다.

4) 호흡 확인

만일 영아가 반응이 없고 숨을 쉬지 않거나 그저 헐떡이는 숨(심장정지 호흡)만 간신히 쉬고 있다면 바로 심폐소생술을 시작한다. 간혹 환자가 헐떡이며 숨쉬는 것을 정상 호흡으로 오인하여 심폐소생술이 지연되는 경우가 있다. 헐떡이는 숨만 겨우 쉬는 환자는 숨을 쉬지 않는 경우와 마찬가지로 생각하고 심폐소생술을 시작한다.

5) 가슴압박

기본 심폐소생술을 수행할 때 소아와 영아의 가장 큰 차이점 중 하나는 가슴압박 방법이다. 가슴압박 속도는 소아와 동일하나 가슴압박 깊이는 영아의 가슴 전후 직경(가슴 두께)의 1/3 또는 약 4 cm의 깊이로 압박해야 한다. 일반인과 보건의료인 모두, 구조자가 혼자 소생술을 할 때에는 두 손가락으로 젖꼭지 연결선 바로 아래의 가슴뼈를 압박한다(두 손가락 가슴압박법). 이때 칼돌기와 갈비뼈를 압박하지 않도록 주의한다(그림 7-2). 매번 압박할 때마다 적절한 깊이가 유지되어야 하며 가슴압박 후에는 가슴이 정상 위치로 다시 이완되도록 하는 것이 중요하다.

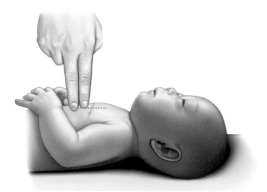

그림 7-2. 영아의 가슴압박

6) 기도 열기와 인공호흡

30회 가슴압박을 시행한 후 기도를 열고 2회 인공호흡을 한다. 반응이 없는 영아는 혀가 기도를 막을 수 있으므로 머리기울임-턱들어올리기 방법을 이용하여 기도를 열어준다. 그러나 영아는 소아나 성인과 다르게 중립자세가 될 정도까지만 머리를 기울여야 기도를 더 확실하게 개방할 수 있다. 영아의 인공호흡은 입과 코로 한꺼번에 호흡을 불어넣는 입-코입 인공호흡 또는 입-입 인공호흡 방법을 사용한다. 인공호흡 중 가슴이 올라오지 않는다면, 머리 위치를 다시 확인하고 호흡이 밖으로 새지 않게 좀 더 확실하게 막은 다음 인공호흡을 시도해 본다. 머리 기울기 정도를 조절하여 기도 유지와 인공 호흡이 효과적으로 이루어질 수 있는 최적의 위치를 찾아볼 필요도 있다. 영아에게 인공호흡을 할 때 입과 코를 한꺼번에 덮기 어려운 경우에는 입-입 또는 입-코 인공호흡을 할 수 있다. 입-입 인공호흡을 하는 경우에는 코를 막고 입-코 인공호흡을 하는 경우는 입을 막고 숨을 불어 넣는다.

7) 가슴압박과 인공호흡의 비율

소아에서와 마찬가지로 30회 가슴압박과 2회 인공호흡을 시행한다. 1인 구조자가 가슴압박과 인공호흡을 30:2의 비율로 5주기를 시행하는 데 약 2분 정도 소요된다. 구조자가 2인 이상인 경우 5주기(2분)마다 역할을 교대하여 구조자의 피로도를 낮출 수 있도록 한다.

4. 보건의료인을 위한 영아 기본소생술의 순서

보건의료인을 위한 영아 기본소생술은 일반인을 위한 영아 기본소생술과 몇 가지 차이점이 있지만 기본적으로 거의 유사하다. 보건의료인들은 혼자 구조하기보다는 대부분 팀으로 활동하게 되므로 각 활동들이 동시에 이루어지는 경우가 많다(예. 가슴압박을 하는 동안 인공호흡 준비)(표 7-2).

표 7-2. 보건의료인을 위한 영아 기본소생술 참고표

치 료	내 용	
소생술이 필요한 호흡	호흡이 없거나 헐떡거리는 양상의 심장정지 호흡을 보일 경우	
호흡과 맥박의 확인	10초 이내에 무호흡(또는 비정상 호흡)과 맥박 유무를 동시에 확인	
가슴압박	압박 위치	영아: 젖꼭지 연결선 바로 아래의 가슴뼈
	압박 깊이	가슴두께의 최소 1/3 이상 (4 cm)
	압박 속도	분당 100-120회
가슴압박 방법	1인 구조	두 손가락 가슴압박법
	2인 구조	양손 감싼 두 엄지 가슴압박법
가슴압박 대 인공호흡 비율	1인 구조	가슴압박 : 인공호흡 = 30 : 2
	2인 구조	가슴압박 : 인공호흡 = 15 : 2
	구조자가 인공호흡을 할 수 없는 경우 가슴압박소생술 시행	
맥박이 분당 60회 이상이고 관류 상태가 양호한 경우	3-5초마다 1회 인공호흡	
심장리듬 분석	가슴압박을 중단한 상태에서 시행	
제세동 후 심폐소생술	제세동 후 즉시 가슴압박을 다시 시작	

1) 구조자와 환자의 안전

심폐소생술을 할 때에는 언제나 구조자와 환자가 있는 곳의 안전을 확인해야 한다. 코로나19 같은 감염성 질환이 유행하는 상황에서는 심폐소생술 중 에어

로졸이 발생할 수 있는 술기에 개인 보호 장비를 사용하는 것이 권장된다. 가슴압박과 인공호흡이 에어로졸 생성을 유발하여 감염전파의 위험을 증가시킬 수 있으므로 보건의료인 구조자는 마스크, 장갑, 고글, 수술 가운 등 적절한 개인 보호구를 착용해야 한다. 제세동이 필요한 경우는 감염전파에 유의하면서 적극적으로 제세동을 시행한다. 심폐소생술을 마친 후 구조자는 감염관리수칙에 따라 가능한 한 빨리 비누와 물로 손을 깨끗이 씻거나 알코올 기반의 손 소독제로 소독해야 하며 옷을 갈아입을 것을 권장한다. 또한, 지역 보건당국에 연락하여 코로나19 검사와 자가격리 여부 등을 확인한다.

2) 반응의 확인

심폐소생술이 필요한 상태인지 확인한다. 숨을 헐떡이고 있거나 호흡이 없다면 심장정지 상태이며 심폐소생술이 필요하다고 생각해야 한다. 영아의 발바닥을 두드리며 "애야 괜찮니?"와 같이 소리치거나 이름을 알면 이름을 불러본다. 환자가 손상을 입은 상태는 아닌지, 다른 의학적 처치가 필요하지는 않은지 등을 신속하게 확인한다.

3) 응급의료체계 활성화

만일 영아가 반응이 없고 숨을 쉬지 않는다면(또는 헐떡거리는 양상의 비정상적인 호흡) 주변에 있는 사람에게 119에 신고하고 자동제세동기를 가져오도록 요청한다. 맥박과 호흡을 10초 이내 확인하고 맥박, 호흡이 없다면 심폐소생술을 시작한다.

4) 호흡과 맥박확인

영아가 반응이 없고 정상적으로 숨을 쉬고 있지 않다면 보건의료인은 맥박을 확인하는데, 맥박 확인 시간이 10초를 초과하지 않아야 한다. 영아는 위팔동맥 위치에서 맥박을 확인하고 10초 이내에 맥박을 느끼지 못하거나 맥박이 있는지 불확실하다면 가슴압박을 시작한다.

① 맥박이 잘 만져지지만 호흡이 불충분한 경우
- 맥박이 분당 60회 이상이지만 호흡이 부적절하다면 자발호흡이 회복될 때까지 분당 12-20회의 속도로 구조호흡을 제공한다(3-5초마다 1회 인공호흡). 맥박은 2분마다 재확인하며 맥박 확인은 10초를 초과하지 않아야 한다.

② 맥박이 느리고 전신 관류 상태가 불량한 경우
- 맥박이 분당 60회 미만이고 산소와 환기를 제공하여도 관류 상태가 좋지 못하면(즉, 피부가 창백하거나 반점 같은 얼룩이 생기거나 청색증을 보일 때) 가슴압박을 시작한다.

5) 가슴압박

영아가 반응이 없고 호흡과 맥박이 없다면(또는 맥박의 존재가 불확실하다면) 가슴압박을 시작한다. 보건의료인이 혼자 있을 때는 영아에게 두 손가락 가슴압박법을 사용한다. 양손 감싼 두 엄지 가슴압박법은 구조자가 2인 이상일 때 적용하며, 손을 펴서 영아의 가슴을 두 손으로 감싸고 두 엄지손가락으로 가슴뼈를 강하게 압박하는 방법이다. 양손 감싼 두 엄지 가슴압박법은 두 손가락 가슴압박법보다 심장동맥 관류압을 증가시키고, 적절한 압박 깊이와 강도를 일관되게 유지할 수 있으며 수축기압과 이완기압을 더 높게 생성할 수 있다. 환아의 흉곽을 양손으로 감싸 쥘 수 없는 경우에는 두 손가락으로 가슴을 압박한다. 가슴압박의 위치는 영아의 젖꼭지 연결선 바로 아래의 가슴뼈이다(그림 7-3).

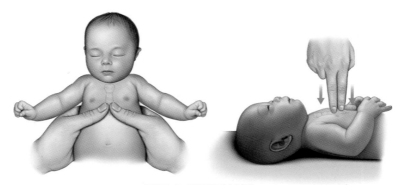

그림 7-3. 영아의 가슴압박

세계적으로 공용되는 여러 심폐소생술 가이드라인마다 영아의 가슴압박이나 인공호흡 방법에 상이한 부분이 존재한다(표 7-3). 2020년 한국심폐소생술 가이드라인은 국제소생술 교류위원회(ILCOR)의 과학적 합의와 치료 권고에 기반을 두고 과학적 근거의 수용 여부, 교육의 일관성, 실행 가능성 등 다양한 국내 상황을 고려하여 작성되었기에 일부 차이점이 있을 수 있다.

표 7-3. 심폐소생술 가이드라인에 따른 영아 기본소생술 비교

	2020년 한국심폐소생술 가이드라인	2020 미국심장협회 심폐소생술 및 응급심장치료 가이드라인
가슴압박 방법	**1인 구조자** • 일반인: 두 손가락 가슴압박법(30:2) • 보건의료인: 두 손가락 가슴압박법(30:2)	**1인 구조자** • 일반인과 보건의료인 모두 두 손가락 가슴압박법 또는 양손 감싼 두 엄지 가슴압박법으로 가슴압박 가능(권고 등급 1, 근거수준 C-LD)
	2인 이상의 구조자 • 일반인: 두 손가락 가슴압박법(30:2) • 보건의료인: 양손 감싼 두 엄지 가슴압박법(15:2)	**2인 이상의 구조자** • 일반인과 보건의료인 모두 양손 감싼 두 엄지 가슴압박법을 추천(권고 등급 1, 근거수준 C-LD) • 아이의 신체가 커서 양손으로 가슴을 감싸기 어려울 때는 두 손가락 가슴압박법도 가능
인공호흡 방법	**자발순환회복 후 인공호흡** • 맥박이 분당 60회 이상이지만 호흡이 없거나 호흡 노력이 부적절하다면 자발 호흡이 회복될 때까지 매 3-5초마다 1회(분당 12-20회)의 인공호흡을 시행	**자발순환회복 후 인공호흡** • 맥박은 분당 60회 이상이지만 호흡이 없거나 호흡 노력이 부적절하다면 자발 호흡이 회복될 때까지 매 2-3초마다 1회(분당 20-30회)의 인공호흡을 시행(권고 등급 2a, 근거수준 C-EO)
	전문기도유지술 후 인공호흡 • 전문기도기가 삽입된 후에는 가슴압박을 중단하지 않고 매 6초마다 1회(분당 10회)의 인공호흡을 시행	**전문기도유지술 후 인공호흡** • 전문기도기가 삽입된 후에는 가슴압박을 중단하지 않고 매 2-3초마다 1회(분당 20-30회)의 인공호흡을 시행(권고 등급 2b, 근거수준 C-LD)

6) 기도 열기와 인공호흡

30회의 가슴압박 후(구조자가 2인일 경우 15회의 압박 후) 머리기울임-턱들어올리기 방법으로 기도를 열고 인공호흡을 2회 실시한다. 척추 손상을 의심해야 하는 외상의 징후가 있다면 머리 기울이기는 하지 않고 턱밀어올리기 방법으로 기도를 개방한다. 영아 심폐소생술에서는 기도를 열고 적절하게 인공호흡 하는 부분이 매우 중요하기 때문에 턱밀어올리기 방법으로 기도를 열지 못한다면 외상과 상관없이 머리기울임-턱들어올리기 방법을 적용한다

5. 인공호흡 관련 장비 및 방법들

1) 인공호흡 방법

영아에게 인공호흡을 할 때 입과 코를 한꺼번에 덮기 어려운 경우에는 입-입 또는 입-코 인공호흡을 할 수 있다. 입-입 인공호흡을 하는 경우는 코를 막고 입-코 인공호흡을 하는 경우는 입을 막는다. 숨을 불어넣을 때 가슴이 올라오는지 반드시 확인해야 한다.

2) 보호기구

구조자 중에서 입-입 인공호흡에 의한 직접 접촉을 꺼려서 보조기구를 사용하게 되는 경우도 있다. 하지만, 보호기구의 사용은 감염 전파를 완전히 막을 수 없고 오히려 공기 흐름에 저항을 가져올 수도 있다. 따라서 보호 기구를 사용하기 위하여 인공호흡을 지연하는 것은 바람직하지 못하다.

3) 백마스크 호흡

백마스크 호흡은 영아 심장정지에서 충분한 환기를 가능하게 하나 전문기도기(기관내삽관 혹은 성문상 기도기) 삽입과 비교하면 가슴압박 중단이 잦고 기도 흡인의 위험성이 높다는 단점이 있다. 그러나 기관내삽관이나 성문상 기도기 삽입은 백마스크 호흡법보다 많은 숙련 시간이 필요하며 병원밖 영아 심장정지 환

자의 경우 삽관 실패나 합병증 발생 빈도도 백마스크보다 높은 것으로 알려져 있다. 따라서 병원밖 상황에서는 기관내삽관 혹은 성문상 기도기보다는 백마스크 환기법을 적용하는 것이 합리적이다. 효과적인 백마스크 호흡법을 위해서는 알맞은 크기의 마스크 고르기, 기도 열기, 마스크와 얼굴의 밀착, 적절한 압력으로 누르기 등의 술기를 익히는 것이 중요하다.

4) 환기백

자가 팽창백은 최소한 450-500 mL의 환기량을 공급할 수 있다. 영아에게는 이보다 더 적은 용량의 백을 사용하게 되므로 충분한 일회호흡량이 공급되지 못할 수 있다. 큰 소아나 청소년에게는 성인용 자가팽창백(1,000 mL)을 사용한다. 산소가 공급되지 않으면 실내 공기만으로 환기하게 되지만 산소 10 L/min을 공급해 주면 산소 농도를 30%에서 80%까지 제공할 수 있다. 더 높은 농도(60-95%)의 산소를 공급하려면 산소 저장소를 백에 연결한다. 소아용 백에 부착된 저장소로는 산소 10-15 L/min을, 성인용 백의 저장소로는 적어도 15 L/min을 공급할 수 있다.

5) 과호흡을 예방하기 위한 인공호흡 방법

과호흡은 순환혈류량을 감소시키므로 절대 하지 않는 것이 중요하다. 전문기도유지술(기관내삽관, 식도-기도 콤비 튜브, 후두 마스크 기도기 등)의 삽입이 시행되기 전이면 30회의 가슴압박(1인 구조자) 또는 15회(2인 구조자, 보건의료인)의 가슴압박 후에 두 번의 인공호흡을 시행하고 입-입 인공호흡이나 백마스크 호흡법을 사용한다. 전문기도유지술이 시행된 후에는 더이상 30:2의 압박-호흡 비율을 따르지 않는다. 대신에 가슴압박은 분당 100-120회의 속도로 끊임없이 지속하고 인공호흡도 분당 10회(6초마다 1회)로 유지한다. 두 명 이상의 보건의료인 구조자라면 2분마다 역할을 교대하여 구조자가 지치는 것을 예방해야 한다. 자발 순환은 회복되었으나 호흡이 없으면 인공호흡만 분당 12-20회(3-5초마다 1회)로 시행한다. 심폐소생술 동안 폐 환기가 과도하게 시행되면 정맥 환류가 감소되어 심박출량과 뇌 혈류가 감소되고 흉강 내압의 증가로 관상동맥 관류가 감소된다. 따라서 구조자는 권장된 호흡 횟수에 맞추어 인공호흡을 해야 한다. 백을 과도하게 누를 경우 기도 내에 지나치게 높은 압력을 줄 수 있으므로 가슴 올라오는 것이 관찰될 정도로만 환기를 시켜야 한다.

6) 2인 백마스크 호흡

심한 기도폐쇄가 있거나 폐 탄력성이 나쁜 경우, 혹은 마스크를 얼굴에 단단히 밀착시키기 힘든 경우에 두 명의 구조자가 함께 백마스크 호흡을 하면 보다 더 효과적으로 인공호흡을 제공할 수 있다. 한 명은 양손으로 기도를 유지하면서 마스크를 얼굴에 단단히 밀착시키고 다른 구조자는 환기백을 누른다. 두 명 모두 환자의 가슴이 올라오는지 확인해야 한다.

7) 위 팽창과 윤상연골누르기

위 팽창은 효율적인 환기를 저해하고 구토를 유발할 수 있으므로 피해야 한다. 위 팽창을 최소화 하려면 매 호흡을 1초에 걸쳐 실시함으로써 호기 시 압력이 높아지지 않게 해야 한다. 추가로 윤상연골 누르기를 고려할 수 있으나 통상적인 사용이 권장되지는 않는다. 윤상연골 누르기는 환자가 의식이 없고 도와줄 다른 보건의료인 구조자가 있는 경우에만 고려해야 하며 윤상연골을 과도하게 누를 경우 오히려 기관을 막을 수 있으므로 주의해야 한다.

8) 산소

일부 동물 실험에서 100% 농도의 산소가 신체에 위해를 주었다는 보고가 있었으나 인체를 대상으로 한 연구에서 특히 신생아 이후에 투여한 산소 농도에 따라 유해 효과가 보고된 적은 없었다. 따라서 심폐소생술 동안은 100%의 산소를 공급한다. 환자가 안정화되면 산소 농도를 확인하면서 산소 공급을 조정한다. 가습된 산소를 투여하면 점막이 건조해지고 폐 분비물이 진해지는 것을 막을 수 있다. 산소는 마스크 또는 코 산소주입관을 사용하여 투여한다.

① 마스크

마스크는 자발 호흡이 있을 때 30-50%의 산소를 공급한다. 얼굴에 꼭 맞고 저장소가 있는 마스크로 산소 15 L/min을 공급하면 고농도의 산소를 투여할 수 있다.

② 코 산소주입관

자발호흡이 있을 때에는 영아와 소아의 체구에 맞는 코 산소주입관을 사용할 수 있다. 산소 농도는 영아와 소아의 체구, 호흡수, 호흡 노력에 따라 조절한다. 영아에게 2 L/min의 산소를 투여하면 흡기 산소농도는 55% 정도가 된다.

6. 가슴압박과 인공호흡의 비율

1인 구조자는 30:2의 비율로 가슴압박과 인공호흡을 실시한다. 2인 구조자가 영아나 소아 심폐소생술을 시행할 때는 한 명은 가슴압박을, 다른 한 명은 기도를 열고 인공호흡을 시행하며 15:2의 비율로 변경된다. 인공호흡을 할 때는 가능한 가슴압박의 중단을 최소로 해야 한다. 전문기도기가 삽입되면 가슴압박과 인공호흡의 비율을 더 이상 따르지 않고, 대신 가슴압박을 담당한 구조자는 압박을 멈추지 않고 계속해서 적어도 분당 100-120회의 속도로 압박하고 인공호흡을 담당한 구조자는 분당 10회(6초마다 1회) 호흡을 제공한다.

7. 가슴압박소생술(hands-only CPR)

영아에서도 소아와 마찬가지로 가슴압박과 인공호흡을 함께 하는 것이 최선의 심폐소생술 방법이다. 영아와 소아 심장정지의 가장 흔한 원인이 질식성이기 때문에 효과적인 심폐소생술의 한 부분으로 인공호흡이 필수적이다. 따라서 영아 및 소아 심폐소생술은 인공호흡과 가슴압박을 함께 하는 소생술을 시행해야 한다. 하지만 인공호흡을 할 수 없거나 구조자가 인공호흡 하기를 꺼려하는 경우라면 가슴압박소생술이라도 반드시 시행해야 한다.

8. 영아 기본소생술 시행방법의 요약

① 심장정지 확인

- 한 쪽 발바닥을 가볍게 두드리며, 큰 목소리로 '아가야? 괜찮니?'라고 깨워본다.
- 아기의 움직임, 눈 깜박임 등으로 반응을 확인한다(심장정지: 무반응).
- 반응이 없더라도 움직임이 있거나 호흡을 하는 경우는 심장정지가 아니다.

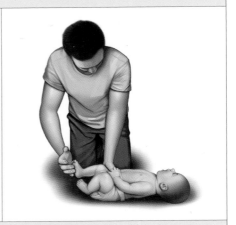

② 도움 요청 및 119 신고, 자동제세동기 요청

- 반응이 없으면, 119에 신고하고 자동제세동기를 요청한다. 주변에 도와줄 사람이 있으면 그 사람에게 부탁하고, 도와줄 사람이 없으면 본인이 직접 119에 신고한다.
- 휴대전화를 가지고 있지 않은 상황에서 혼자 있다면 심폐소생술을 2분간 시행한 후 119에 신고한다.
- 특히 아기가 선천적으로 심장질환이 있는 경우에는 119 신고와 함께 자동제세동기를 가져오도록 주변 사람에게 요청한다.

③ 호흡과 맥박확인

- 119에 신고하고 자동제세동기를 요청한 후 구급상황(상담)요원의 안내에 따라 호흡 유무 및 비정상 여부를 판단한다(심장정지 환자: 무호흡 또는 비정상 호흡).
- 호흡이 없거나 호흡이 있더라도 비정상 호흡(심장정지 호흡, 헐떡이는 호흡, gasping)이라고 판단되면 심장정지가 의심되므로 즉시 가슴압박을 시작한다.
- 맥박확인은 보건의료인이 하도록 권장하고 있다. 맥박은 위팔동맥에서 확인하되 10초를 초과하지 않아야 한다.
- 반응이 없으나 맥박이 만져지고 정상 호흡을 보이는 경우에는 회복자세를 취해 입안의 이물이 흡인되는 것을 예방하고, 상태를 관찰하며 구급대를 기다린다.

④ 가슴압박 30회 시행

- 양쪽 젖꼭지 연결선 바로 아래의 가슴뼈를 두 손가락으로 압박한다.
- 손가락을 곧게 펴고 체중을 실어서 가슴 두께의 최소 1/3 이상(4 cm) 눌리도록 강하게 압박한다.
- '하나', '둘', '셋', …, '스물아홉', '서른'하고 소리내어 숫자를 세면서 분당 100-120회의 속도로 빠르게 압박한다.
- 매번 압박할 때마다 압박된 가슴이 원래 상태로 완전히 이완되도록 한다.

⑤ 인공호흡 2회 시행

- 머리기울임–턱들어올리기 방법으로 기도를 개방시킨다. 머리를 너무 심하게 젖히면 오히려 기도가 폐쇄될 수 있으므로 주의한다.
- 이마 쪽 손의 엄지와 검지로 아기의 코를 막고, 입을 크게 벌려 아기의 입에 완전히 밀착시킨다(입–입 인공호흡).
- 일상적인 호흡량으로 1초 동안, 가슴 상승이 약간 보일 정도로만 숨을 불어넣는다. 절대로 과도하게 자주 불어넣지 않는다.
- 불어넣은 후에는 입을 떼고, 코를 막은 손가락을 놓아 숨을 내쉬게 한다.
- 아기가 작은 경우에는 구조자의 입으로 아기의 입과 코를 한꺼번에 덮어서 숨을 불어 넣을 수 있다(입–코입 인공호흡).

⑥ 가슴압박과 인공호흡의 반복

- 30회의 가슴압박과 2회의 인공호흡을 반복해서 시행한다.
- 2인 이상의 구조자가 있는 경우에는 한 구조자는 가슴압박을 다른 구조자는 인공호흡을 맡아서 시행하며, 이때는 가슴압박 15회와 인공호흡 2회를 반복한다. 2분 동안 시행한 뒤에 서로 역할을 교대한다(보건의료인 기준).
- 자동제세동기가 도착하면 가슴압박 중단 없이 즉시 전원을 켜고 패드를 부착한 후 음성 지시에 따른다.
- 구급대가 도착하거나 환자가 움직이거나 정상 호흡이 회복될 때까지 가슴압박을 계속한다.
- 아기가 회복되어 소리를 내거나 움직이면, 심폐소생술을 중지하고 맥박과 호흡이 회복되었는지 확인한다.
- 호흡이 회복되었으면, 아기를 옆으로 돌려 눕혀 기도가 막히는 것을 예방한다(회복자세). 그 후 계속 움직임이 있는지, 호흡을 하는지 관찰한다.
- 아기의 반응과 정상적인 호흡이 없어지면 심장정지가 재발한 것이므로 즉시 가슴압박과 인공호흡을 다시 시작한다.

CHAPTER

8

소아 및 영아에서
자동제세동기의 적용

1. 소아 및 영아 심장정지 환자에서 제세동의 필요성

8세 미만의 소아에서는 성인에 비해 심장정지의 발생 빈도가 낮으며, 더 다양한 원인에 의해 심장정지가 유발되는 것으로 알려져 있다.[1] 그러나 소아 심장정지에서도 심실세동이나 무맥성 심실빈맥으로 인한 심장정지가 적지 않게 보고되고 있는데, 연구에 따라 소아 연령에서의 심장정지 원인의 4-17%가 쇼크가 필요한 경우였다고 보고되었기 때문에,[2,3,4] 선천성 심장병이나 부정맥이 있는 소아가 갑자기 쓰러지는 경우에는 심실세동에 의한 심장정지를 의심해야 한다. 이 경우에는 성인과 마찬가지로 제세동이 필요하며 자동제세동기를 적용할 수 있다.[5,6,7]

1세 미만의 영아에 대해서는 수동제세동기가 선호된다. 수동제세동기가 없다면 에너지 감쇠 장치가 있는 자동제세동기를 사용할 수 있다. 에너지 감쇠 장치가 있는 자동제세동기나 수동제세동기 모두 없을 경우는 영아에게도 에너지 감쇠 장치가 없는 자동제세동기를 사용할 수 있다.

2. 소아 및 영아에서의 자동제세동 에너지

성인에 비하여 소아는 체중과 심장이 작기 때문에, 성인보다 적은 전기 에너지를 사용하여 제세동을 시행한다. 성인의 자동제세동기는 약 200 J의 에너지를 사용하나, 소아에게 적용할때에는 첫 번째 에너지 용량은 2 J/kg을 권장한다. 두 번째 이후의 제세동 에너지 용량은 4 J/kg 이상을 사용하며, 성인의 최대 용량을 넘지 않도록 한다. 제세동기에 해당 에너지 용량이 없는 경우에는 계기판에서 바로 다음 단계의 높은 에너지를 사용한다.[8,9,10]

　성인용 자동제세동기를 소아에게 적용하는 방법은 여러 가지가 있다. 제조사마다 적용방법이 다른데, 성인용과 소아용 제세동기가 별개로 있는 경우도 있고, 성인용과 소아용 기기는 하나이고 에너지 감쇠용 키를 사용하는 경우도 있고, 성인용 자동제세동기에 에너지 감쇠 소아 패드를 사용하는 경우도 있고, 성인용과 소아용을 전환하는 스위치를 가지는 경우 등 다양하다(그림 8-1).

(a)

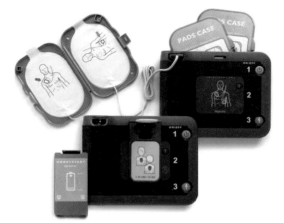

(b)

(c)

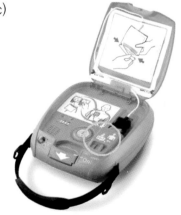

그림 8-1. 다양한 소아용 자동제세동기
(a) 에너지 감쇠 키를 사용하는 자동제세동기, (b) 에너지 감쇠 패드를 사용하는 자동제세동기, (c) 성인과 소아용 스위치를 가지는 자동제세동기

3. 소아 및 영아 자동제세동기의 패드 부착

실제 AED 제조사마다 소아용과 영아용을 따로 제작하지 않는 경우가 많다. 일부 제조사는 성인에게 적용하는 전외위치법 방식으로 사용하고, 일부 제조사는 영아에게 적용하는 전후위치법을 사용하는 방식으로 자동제세동기를 사용한다.

소아 자동제세동기에 사용하는 패드는 10 kg 이상 또는 1세 이상의 소아는 성인용 크기(8-10 cm)를 사용하고 10 kg 미만 또는 1세 이하 영아는 영아용 크기의 전극을 사용한다. 소아용 패드를 가슴에 붙이는 방법은 성인과 같은데, 우측 패드의 위치는 우측 빗장뼈 밑에, 우측 빗장뼈의 중심선과 패드의 중심선이 일치하게 붙인다. 좌측에 붙이는 패드는 패드의 중심이 좌측 5-6번째 가슴늑간 사이와 중심겨드랑선이 만나는 부위에 붙인다(그림 8-1a).

영아용 패드는 그림에 표시되어 있는 대로 하나는 가슴 앞에 하나는 등에 붙인다(그림 8-2b).

소아가 너무 작거나 또는 소아용 패드를 영아에게 붙여야 하는 경우에는 소아용 패드를 영아용 패드처럼 붙일 수도 있다. 이때에는 왼쪽에 붙이는 패드를 가슴 앞에, 오른쪽에 붙이는 패드를 등에 부착한다(그림 8-2c).

4. 성인용 자동제세동기를 소아에게 적용

일반적으로 소아용 자동제세동기가 따로 설치되어 있지 않은 현실에서 성인용 자동제세동기를 소아에게 사용해야 하는 경우도 있다. 이런 경우에 제세동에 의한 심근 손상이 커지겠지만, 제세동에 의한 소생이 더 중요하므로 성인용 자동제세동기를 소아에게 사용하는 것이다.[5,11] 성인용 자동제세동기를 소아에게 적용할 때 주의할 점은, 작은 소아나 영아의 몸집에 비해 패드가 너무 크므로 가슴에 부착된 두 개의 패드 사이가 너무 인접하거나 서로 맞닿아 부착되기 쉽다는 점이다. 이는 제세동의 효율을 떨어뜨리므로 두 패드가 적어도 3 cm는 떨어지게 적용해야 한다. 가슴에 두 개의 패드를 부착하기에 작은 소아나 영아는 왼쪽에 붙이는 패드를 가슴에 붙이고 오른쪽에 붙이는 패드는 등에 붙인다(그림 8-2c)

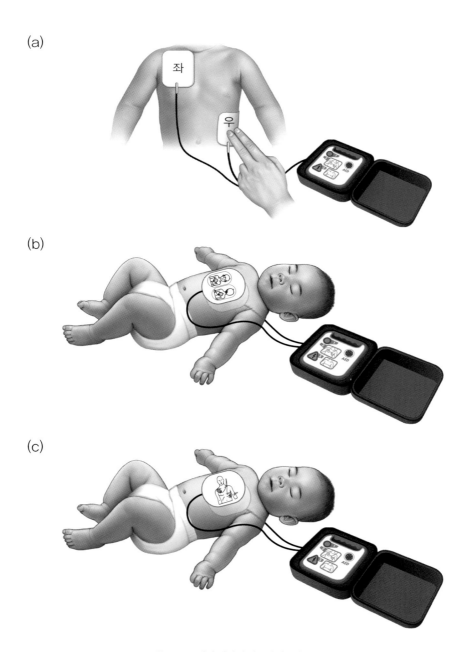

그림 8-2. 소아와 영아의 자동제세동기 패드 위치

(a) 소아에게 자동제세동기 패드 사용 위치, (b) 영아에게 자동제세동기 패드 사용 위치, (c) 영아에게 성인용 자동제세동기 패드 사용 위치

5. 자동제세동기 단계별 요약

요약	단계
1. 전원 켜기 자동제세동기의 전원을 켠다.	
2. 두 개의 패드 부착 소아에서 오른쪽 패드는 패드는 오른쪽 빗장뼈 밑에, 왼쪽 패드는 왼쪽 중간겨드랑선에 붙인다. 영아에게 왼쪽 패드는 가슴 앞에, 오른쪽 패드는 등에 부착한다.	
3. 심장 리듬 분석 분석을 시작하기 전에 물러나라는 신호가 나오면, 모두 물러나게 하고, 자동으로 분석이 시작된다.	

4. 제세동

분석 결과 "제세동이 필요하다"는 신호가 나오면 자동으로 충전이 된다. 충전이 완료되기 직전에 다시 모두 물러나라는 신호가 나오면, 모두 물러나게 하고, 제세동 버튼을 누른다.

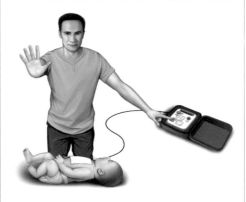

5. 즉시 가슴압박 시작

제세동을 시행한 후 즉시 가슴압박을 시작한다. 자동제세동기는 2분 후 자동으로 다시 분석 단계를 시작한다.

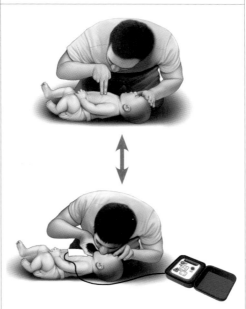

Reference

1. Hickey RW, Cohen DM, Strausbaugh S, Dietrich AM. Pediatric patients requiring CPR in the prehospital setting. Ann Emerg Med. 1995;25(4):495-501.

2. Mogayzel C, Quan L, Graves JR, Tiedeman D, Fahrenbruch C, Herndon P. Out-of-hospital ventricular fibrillation in children and adolescents: causes and outcomes. Ann Emerg Med. 1995;25:484–91.

3. Smith BT, Rea TD, Eisenberg MS. Ventricular fibrillation in pediatric cardiac arrest. Acad Emerg Med.2006;13:525–9.

4. Fukuda T, Ohashi-Fukuda N, Kobayashi H, Gunshin M, Sera T, Kondo Y, et al. Public access defibrillation and outcomes after pediatric out-of-hospital cardiac arrest. Resuscitation. 2016;111:1-7.

5. Konig B, Benger J, Goldsworthy L. Automatic external defibrillation in a 6 year old. Arch Dis Child. 2005;90:310–1.

6. Senior K. Automatic external defibrillation is safe in small children. Lancet. 2001;357:1678.

7. Atkins DL, Jorgenson DB. Attenuated pediatric electrode pads for automated external defibrillator use in children. Resuscitation. 2005;66:31–7.

8. Katipoglu B, Madziala MA, Evrin T, et al. How should we teach cardiopulmonary resuscitation? Randomized multi-center study. Cardiol J 2019. https://doi.org/10.5603/CJ.a2019.0092.

9. Cho JW, Jung H, Lee MJ, et al. Preparedness of personal protective equipment and implementation of new CPR strategies for patients with out-of-hospital cardiac arrest in the COVID-19 era. Resuscitation Plus 2020;3:100015.

10. Kim YT, Shin SD, Hong SO, et al. Effect of national implementation of utstein recommendation from the global resuscitation alliance on ten steps to improve outcomes from Out-of-Hospital cardiac arrest: a ten-year observational study in Korea. BMJ Open 2017;7(8):e016925.

11. Gurnett CA, Atkins DL. Successful use of a biphasic waveform automated external defibrillator in a high-risk child. Am J Cardiol 2000;86:1051–3.

심장정지 환자에서
수동제세동기의 사용

1. 심장정지 환자의 심전도 리듬

심장정지는 다양한 원인에 의해 유발되지만, 관찰되는 심전도 리듬은 크게 4가지 형태(심실세동, 무맥성 심실빈맥, 무맥성 전기활동, 무수축)로 분류된다. 이중 심실세동 및 무맥성 심실빈맥은 신속한 제세동에 의해 정상 심장리듬으로 회복될 수 있다. 심전도 리듬은 형성되지만 정상적인 심장수축을 유발하지 못하는 무맥성 전기활동이나 심전도 리듬과 심장수축 모두가 정지된 형태의 무수축 리듬은 제세동으로 회복될 수 없으며, 고품질의 심폐소생술이 시행되어야 한다.

그림 9-1. 심장정지 환자에서 관찰되는 심실세동

2. 심장정지 환자에서 제세동의 중요성

심실세동 및 무맥성 심실빈맥으로 갑자기 심장정지가 발생한 경우에는 목격자의 심폐소생술과 제세동으로 생존율을 높일 수 있다. 특히 이러한 리듬은 제세동이 가장 효과적인 치료이며, 제세동의 성공률이 1분에 7-10%씩 감소하는 점을 고려할 때 신속한 제세동이 매우 중요하다 하겠다. 제세동이란 2,000 V 이상의 강력한 전기 충격을 심장에 순간적으로 가해줌으로써 심근 전체가 탈분극되도록 하여 부정맥을 종료시키고 동방결절의 자동능(automaticity)이 회복되면 심장이 다시 정상적인 전기활동을 할 수 있도록 유도하는 것이다.

3. 제세동과 심폐소생술 시행의 우선순위

심장정지로부터 일정 시간이 지나간 환자에게 심폐소생술을 먼저 한 후 제세동을 한 경우와 심폐소생술보다는 제세동을 우선한 경우를 비교한 결과, 생존율의 차이가 없음이 알려졌다. 따라서 심장정지가 발생한 모든 환자에게 신속히 심폐소생술을 시작하되 제세동기가 준비되면 즉시 심전도 리듬을 확인한 후 제세동이 필요한 경우에는 즉시 제세동을 하도록 권장한다. 심폐소생술만으로는 심실세동이 정상 리듬으로 변환될 가능성은 거의 없으며, 성인 심장정지 후 5분 이내에 제세동이 시행되면 신경 손상이 거의 없기 때문이다.

4. 제세동에 영향을 미치는 요소들

(1) 전극(electrode)

① 전극 위치

전극의 위치는 심장에 전류가 전달되는 경로를 결정하는 데 매우 중요하다. 두 전극의 위치가 가까우면 저항을 줄여 심장에 전달되는 에너지의 손실을 줄일 수 있으나, 전류가 심장을 효과적으로 통과하지 못할 수 있으므로 전극의 간격을 적절히 유지하는 것이 좋다(그림 9-2).

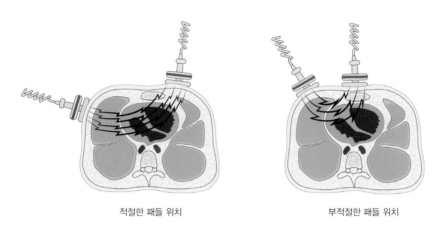

적절한 패들 위치   부적절한 패들 위치

그림 9-2. 제세동 시 전류의 경로
두 전극의 위치가 적절하면 심장으로 전류가 잘 전달되지만, 전극의 위치가 잘못되면 제세동의 효율이 감소한다.

일반적으로 두 전극을 오른쪽 빗장뼈 아래(subclavian)와 왼쪽 젖꼭지 아래의 중간겨드랑선(mid-axillary line)에 위치시키는 방법(anterolateral orientation, sternum-apex)을 주로 사용하지만, 심장의 앞-뒤(anteroposterior orientation)에 위치시키는 방법도 있다(그림 9-3). 몇 가지 연구에서 두 방법의 효과는 차이가 없다고 알려져 있다.

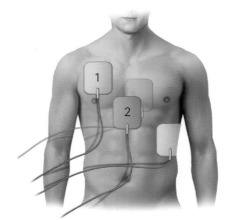

1) anterolateral orientation, sternum-apex, 2) anteroposterior orientation

그림 9-3. 제세동 시 전극의 위치

② **전극 크기**

전극의 크기가 클수록 저항을 감소시키고 심장에 전달되는 전류의 양을 증가시킬 수 있으나, 전류의 밀도를 감소시킬 수 있으므로 최근에는 적정 전극 크기(약 12.8 cm)를 정해서 사용한다.

③ **패들(hand-held paddle)과 패드(pad, patch)**

패드(self-adhesive pads) 사용은 제세동 전후 가슴압박 중단시간을 최소화할 수 있고 전기 아크 형성, 피부 화상이나 화재로부터 환자를 보호할 수 있다. 패드는 한번 부착하면 심전도 리듬 분석과 제세동, 동기심율동 전환, 심장박동조율이 모두 가능하다. 또한, 패들 사용 시 매번 전도 젤리를 바르고 적절한 곳에 위치시키는 데 드는 시간을 절약할 수 있고, 패들을 사용할 때 흉부에 가하는 10-12 kg의 압력도 필요치 않다. 따라서 가능하다면 패들보다는 패드 사용을 고려한다.

(2) 단상파형 혹은 이상파형 제세동기

제세동기의 종류에 따라 에너지 파형이 다양하나, 크게 단상파형(monophasic)

과 이상파형(biphasic)으로 나눈다(그림 9-4). 단상파형은 전류가 한쪽 전극에서 다른 쪽 전극으로 한 방향으로만 전달되지만, 이상파형 전극은 전류가 반대 방향으로 한 번 더 전달되어 단상파형보다 낮은 에너지로도 효과적인 제세동이 가능하도록 설계되어 있다. 몇 가지 동물 및 인간 대상 연구에서 이상형 제세동기가 단상파형 제세동기에 비해 심실세동을 제거하는 데 더 효과적이라는 보고가 있으나, 생존 퇴원이나 신경학적 예후에 차이를 보이지는 않았다. 따라서 두 가지 방법 중 뚜렷한 우위를 보인 방법을 정하기는 어렵다.

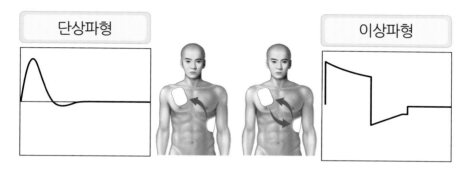

그림 9-4. 단상파형과 이상파형 에너지 파형. 단상파형은 전류가 한 방향으로 흐르지만, 이상파형은 전류가 반대 방향으로 한 번 더 흐른다.

(3) 제세동 전후 가슴압박 중단시간 최소화 전략

가슴압박을 중단하고 제세동을 하기까지의 시간을 최소화하여야 한다. 심지어 5-10초간 중단도 제세동 성공률을 감소시킬 수 있다. 따라서 제세동기를 충전하는 동안에도 가슴압박을 지속하고, 팀 리더의 분명한 의사 전달과 효율적인 소생팀을 운영함으로써 제세동 전 가슴압박 중단시간을 최소화하여야 한다. 수동제세동기를 이용한 전 과정에서 제세동 전후 가슴압박 중단시간은 10초 이내여야 한다.

(4) 경흉부저항(transthoracic impedance)

제세동 에너지가 높을수록, 전극과 피부의 접촉이 좋을수록, 전극간의 거리가 가까울수록, 전극에 압력이 많이 가해질수록(패들의 경우), 호기 시 그리고 심장근육량이 많거나 혈류량이 좋을수록 경흉부저항이 감소한다고 알려져 있다. 이외에도 패들에 사용하는 젤에 염기가 많을수록(salt-containing gel) 경흉부저항이 감소한다.

5. 제세동 에너지 선택

일반적으로 단상파형 제세동기는 360 J을 사용하고 이상파형 제세동기는 제조사에서 권장하는 에너지(120-200 J)를 사용한다. 이상파형 제세동기에 제조사 권장 에너지가 명시되어 있지 않거나, 처음 사용하여 권장 에너지를 모르는 경우에는 200 J을 선택하도록 한다. 이상파형 제세동기를 사용할 때 처음에 설정한 에너지로 제세동이 되지 않는 경우 에너지를 증량하여 제세동할 것을 권고한다.

8세 미만의 소아의 경우 성인에 비해 적은 에너지인 2-4 J/kg로 제세동을 하는 것이 권장되며, 1세 미만의 영아에게는 영아용 패들이나 패드로 교체하여 제세동을 시행한다(그림 9-5).

그림 9-5. 패들에서 성인용 전극을 분리하여 영아용 패들로 사용할 수 있다. 제조사에 따라 영아용 전극을 성인용 전극 앞에 붙여서 사용하는 제세동기도 있다.

6. 제세동을 위한 안전 확인

제세동을 할 때는 안전을 위해서 큰 목소리로 주위 사람들에게 알려야 한다. "클리어(clear)" 또는 "제세동합니다. 모두 비키세요."라고 경고하여 모든 사람들이 제세동을 인지하고 떨어지도록 유도한다. 환자, 침대, 장비와 자신, 팀원의 접촉 유무를 확인하고 제세동을 시행한다.

7. 제세동기의 구조

아래 그림은 국내에서 사용되고 있는 제세동기 중 하나이다.

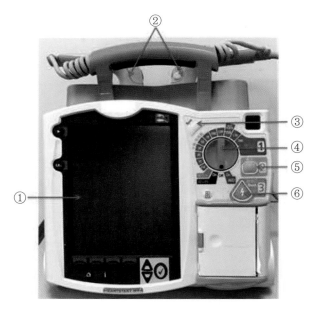

그림 9-6. 제세동기의 구조

① 화면: 심전도, 혈압, 산소포화도 등 감시 정보가 표시된다.

② 패들: 제세동이나 심율동전환 시 사용한다.

③ "Sync" 버튼: 심율동 전환 시 동기화(synchronization)를 위해 사용한다.

④ 치료 손잡이(therapy knob): 전원을 켜거나 자동심장충격기 모드, 모니터 모드, 심박조율(pacing) 모드 등을 선택할 때 사용하며, 제세동 에너지를 선택할 때에도 사용한다. 제세동 에너지 중 가장 크게 표시되어 있는 것(그림에서 150 J)이 제조사에서 권장하는 에너지이다.

⑤ 충전 버튼: 에너지를 충전할 때 사용한다.

⑥ 충격(shock) 버튼: 에너지를 전달(제세동)할 때 사용한다.

8. 제세동 시행 순서

단	행동
1.전원 켜기 ■ 모니터 전극을 부착한다. ■ 전원을 켠다.	
2. 심장 리듬 분석 심실세동 및 무맥성 심실빈맥인 경우 바로 제세동을 실시해야 한다.	
3. 에너지를 선택한다. ■ 이상파형 제세동기 : 120–200 J ■ 단상파형 제세동기 : 360 J	
4. 충전을 한다. ■ 충전(charge) 단추를 누른다. ■ 충전이 끝나면 "삐"하는 소리가 난다.	

5. 패드를 부착하거나 패들을 환자의 가슴에 위치시킨다.

- 가슴뼈(sternum) 전극:
  오른쪽 빗장뼈 아래
- 심첨부(apex) 전극:
  좌측 젖꼭지 아래 중간겨드랑선
- 패들을 이용하는 경우 전극에 젤을 잘 펴 바른다.
- 10 kg의 힘으로 밀착하여 누른다.

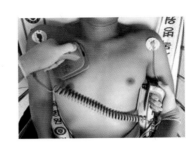

6. 안전을 확인한다.

다른 의료진이 환자에 접촉하지 않도록 경고하고, 자신도 떨어져 있음을 확인한다.

7. 쇼크 버튼을 누른다.

- 패들을 사용하는 경우 양쪽 쇼크(shock) 버튼을 동시에 누른다. 제세동기 본체의 쇼크(shock) 버튼을 눌러서 제세동을 시행할 수도 있다.
- 다섯까지 세면서 셋에 쇼크 버튼을 누른다(하나, 둘 셋[쇼크], 넷, 다섯[뗀다]). 제세동 후 즉시 가슴압박을 시작한다.

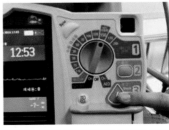

9. 국내에서 흔히 사용되는 제세동기들

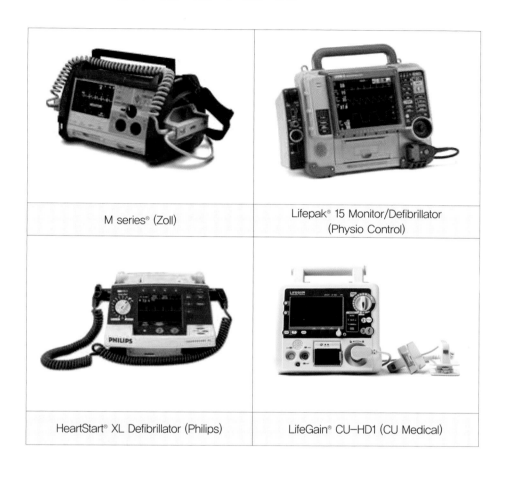

M series® (Zoll)	Lifepak® 15 Monitor/Defibrillator (Physio Control)
HeartStart® XL Defibrillator (Philips)	LifeGain® CU–HD1 (CU Medical)

CHAPTER
10

인공호흡 장비의 사용

인공호흡을 시행할 때 대상자와의 직접 접촉 혹은 공기 접촉으로 인한 감염을 예방하기 위해 구조자는 보호기구로서 페이스쉴드(face shield)와 포켓마스크, 백마스크(bag-mask) 등을 주로 사용한다. 인공호흡으로 질병이 전염될 위험성은 매우 낮은 것으로 알려져 있지만, 하루에도 몇 번씩 인공호흡을 시행해야 하는 구조자들에게는 이러한 보호기구의 사용이 권장된다.

특히 백마스크는 전문기도기의 적용 없이도 양압 환기를 할 수 있는데, 백마스크의 사용은 경험이 있는 구조자가 두 명 이상 있을 경우 사용할 것을 권장한다. 백마스크 인공호흡을 능숙하게 시행하기 위해서는 사전에 사용방법을 익히고 충분한 술기연습을 하는 것이 필요하다. 알맞은 크기의 마스크 고르기, 기도 열기, 마스크를 얼굴의 윤곽에 맞춰 밀착하기, 효과적인 호흡 등의 술기를 알아야 한다.

페이스쉴드(Face shield)	포켓마스크(Pocket mask)	백마스크(Bag-valve mask)

1. 페이스쉴드 사용법

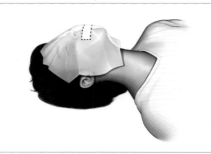	① 환자의 옆에 자리를 잡고, 페이스쉴드의 필터부분을 환자의 입 위치에 맞춘다.
	② 페이스쉴드 위에서 머리기울임-턱들어올리기 방법으로 기도를 연다.
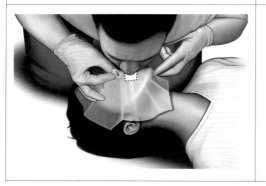	③ 코를 막고 입을 크게 벌려 환자의 입에 완전히 밀착한 후, 환자의 가슴이 올라오도록 1초에 걸쳐 충분히 숨을 불어넣고, 코를 막은 손과 입을 뗀다.

2. 포켓마스크 사용법

① 환자 옆에 자리를 잡고, 환자의 입과 코를 덮도록 마스크를 위치시킨다.

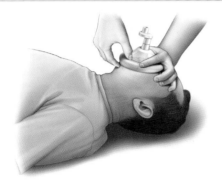

② 양 손을 이용해 공기가 새지 않도록 마스크를 얼굴에 완전히 밀착한 뒤에 머리기울임-턱들어올리기 방법으로 기도를 연다.

③ 환자의 가슴이 올라오도록 1초에 걸쳐 충분히 숨을 불어넣고 입을 뗀다.

3. 백마스크 사용법

1) 한 손 기법 (One-handed technique)

① 환자의 머리 위 정중앙에 자리를 잡고, 환자의 입과 코를 덮도록 마스크를 위치시킨다. 이때 마스크가 눈을 누르지 않도록 주의한다.

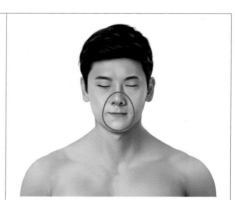

② E-C 기법을 이용하여 한 손으로 마스크를 잡고 턱을 들어 올려 기도를 연다.
- 엄지와 검지로 마스크의 위아래를 감싸고(C), 나머지 세 손가락으로 환자의 아래턱 뼈 부분을 잡는다(E).
- 다른 손으로는 백(bag)을 잡는다.

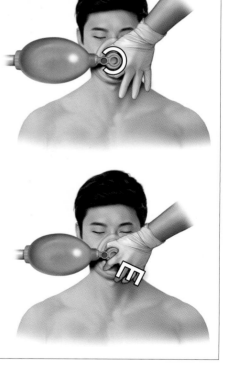

③ 가슴이 올라오는지 확인하면서 1초에 걸쳐 충분히 백을 짜서 인공호흡을 시행한다.

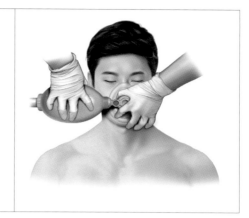

2) 양손 기법 (Two-handed technique)

① 환자의 머리 위에 있는 구조자가 마스크를 밀착시키고, 환자의 얼굴 옆에 있는 구조자는 백을 잡는다.

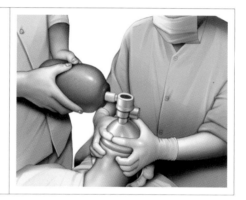

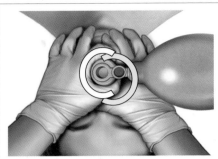

② 머리쪽 구조자가 양 손의 엄지와 검지로 마스크의 위아래를 감싸고 나머지 세 손가락을 이용하여 환자의 아래턱뼈 부분을 잡는다(E–C 기법).

③ 얼굴쪽 구조자가 가슴상승을 확인하면서 1초에 걸쳐 충분히 백을 짜서 인공호흡을 시행한다.

★ 포켓마스크 및 백마스크 사용 시 주의할 점

- 마스크의 크기는 환자의 얼굴을 다 덮지 않고 코와 입만 충분히 덮을 수 있는 정도가 적절하다.
- 마스크를 잡고 있는 구조자의 손은 환자의 턱 아래 연부조직의 기도를 누르지 않도록 아래턱의 뼈 부분만을 잡아당기도록 해야 한다.
- 인공호흡이 잘 되고 있는지 매 호흡을 할 때마다 환자의 가슴상승을 눈으로 확인할 수 있어야 한다.
- 인공호흡 시 가슴압박 중단을 최소화해야 하며, 과도하게 환기하지 않도록 주의해야 한다.

CHAPTER

11

병원내 소생팀의
기본소생술

일반적으로 병원내 심폐소생술에 대한 흔한 오해는 기본소생술은 현장에서 일반인이 하는 것이고 전문소생술은 병원에서 의료인이 하는 것이라고 규정하는 것이다. 병원내에서 이루어지는 심폐소생술은 공공장소나 가정, 직장에서 발생한 심장정지 상황과는 달리 목격자 1인에 의한 기본소생술이 아닌, 여러 의료인들이 모여 소생팀을 구성하고 다양한 처치를 동시에 수행하게 된다. 또한 기본소생술(가슴압박, 인공호흡, 제세동술)과 전문소생술(심전도 리듬 분석, 약물투여, 알고리즘에 의한 처치, 가역적 원인의 교정)이 통합되어 서로 조화롭게 이루어져야 한다. 이뿐만 아니라 병원내 심장정지 환자의 생존을 위해서는 신속대응시스템(신속대응팀 또는 의료응급팀)의 운영, 직원 심폐소생술 교육, 심장정지 치료 체계 확립, 질 향상 활동 등 적절한 생존 환경이 구축되어야 한다.

1. 병원내 소생팀 활성화

대부분의 병원들은 원내에서 심장정지 상황 발생 시 소생팀을 호출하는 방법, 제세동기의 위치와 작동법, 소생팀의 구성 및 역할 등을 포함한 자체 지침을 가지고 있다. 또한 정기적으로 의료인 직원뿐만 아니라 비의료인 직원에게도 지침과 기본소생술 실습교육을 실시하고 있다. 따라서 병원 직원은 병원 소생팀의 구체적인 호출방법과 관련지침을 숙지하고, 주기적으로 심폐소생술 교육을 받아야 하며, 이를 통해 심장정지 환자에게 고품질 심폐소생술을 제공할 수 있어야 한다.

2. 목격자에 의한 기본소생술

심장정지 환자는 병실, 복도나 화장실, 외래진료실, 검사실, 주차장 등 병원내 어느 곳이라도 발생할 수 있다. 따라서 반응이 없으면서 호흡이 없거나 비정상적인 호흡을 하는 사람을 발견하면 자리를 떠나지 말고 크게 소리쳐서 소생술팀 호출 및 제세동기를 요청하고 그 자리에서 기본소생술을 시행해야 한다. 가슴압박을 포함한 심폐소생술을 즉시 시행하는 것은 환자를 소생시키는 치료의 첫 단계이다. 일반 병실에 있던 환자에게 심장정지가 발생한 경우 담당 간호사가 처음 발견하는 경우가 대부분이다. 심장정지를 목격한 사람은 누구든지 먼저 가슴압박을 시작해야 한다. 그러나 경험이 적은 일부 간호사의 경우, 자신의 주 업무를 소생팀 호출과 약물 준비, 의무 기록 등이라고 여겨 소생팀의 도착을 기다리거나 환자를 별도의 처치실이나 중환자실로 옮기는 것이 우선적으로 취해야 하는 조치라고 생각할 수 있다. 하지만 소생팀이 도착할 때까지는 심장정지를 목격한 간호사에 의한 가슴압박과 인공호흡의 시작은 매우 중요하고, 반드시 강조되어야 한다.

병원내에서 심장정지를 목격하고 혼자서 기본소생술을 시행할 때 인공호흡을 위해 가슴압박이 중단되는 경우가 종종 발생하는데, 만약 술기를 위한 자세나 주변 환경이 인공호흡을 시행하기 힘들다면 소생팀이 도착할 때까지 가슴압박소생술만을 하고 있는 것도 효과적이다. 그리고 별도의 처치실이나 중환자실로 옮기기 위해 가슴압박을 중단해서는 안 되며, 주위에 여러 명의 의료진이 있다면 환자를 이송하는 동시에 최선의 기본소생술을 시행한다.

3. 가슴압박 교대와 리듬확인

가슴압박을 하는 구조자가 힘들어지면, 가슴압박의 속도나 깊이가 감소하게 된다. 따라서 두 명 이상의 구조자가 심폐소생술을 할 때에는 2분마다 또는 가슴압박 30회와 인공호흡 2회를 5주기 시행한 후에 가슴압박자를 교대하는 것을 권장한다. 이때 교대를 준비하고 있는 구조자가 가슴압박을 시행하고 있는 구조자 반대편에 미리 준비하고 있다가 신호와 함께 5초 이내로 교대하여 가능한 가슴압박이 중단되지 않도록 한다.

가슴압박을 교대하는 5초 동안에 팀 리더는 심전도 리듬을 확인하여 제세동이 필요한 리듬이면 신속하게 제세동을 지시하고 QRS파가 관찰되는 리듬(Orga-nized rhythm)이 보이면 팀원에게 맥박확인을 지시한다. 만약 이때 맥박이 만져지지 않으면 무맥성 전기활동(PEA: Pulseless Electrical Activity) 상태로 소생술을 지속한다. 이와 반대로 맥박이 만져진다면 호흡과 의식확인, 혈압측정, 12 유도 심전도 측정 등 환자에 대한 2차 평가와 심장정지의 원인을 찾기 위한 검사를 실시한다. 이처럼 매 2분을 주기로 제세동이 필요한 리듬인지 확인하면서 동시에 가슴압박자를 교대할 것을 권장하지만, 실시간으로 심전도 모니터링을 하고 있는 환자라면 팀 리더의 판단에 따라 주기가 짧아질 수도 있다.

4. 수동제세동기

심장정지 발생부터 기본소생술과 제세동을 시도하기까지의 시간을 단축시키는 것은 환자의 자발순환회복을 높이고 신경학적 손상을 최소화하는 데 매우 중요한 요소이다. 심장정지의 원인이 심실세동이나 무맥성 심실빈맥이라면 기본소생술만으로 정상리듬으로 복원될 가능성은 거의 없고, 제세동을 시행하여야 가능하다.

최근 들어 로비나 외래, 검사실에 자동제세동기를 설치하는 병원이 늘어나고는 있으나, 병원내 소생술은 주로 모니터를 통해 리듬을 확인하고 제세동과 전기적 심장율동전환이 가능한 수동 제세동기를 사용한다.

자동 제세동기는 음성지시에 따라야 하므로 리듬분석과 제세동에 시간이 많이 소모되고 가슴압박을 중단하는 시간이 길어질 수 있으므로, 가능하다면 수동 제세동기 사용을 권장한다. 의료진은 수동 제세동기 사용법에 대해 필수적으로 알고 있어야 하며 모니터를 통해 제세동이 필요한 리듬인지 여부를 판단할 수 있어야 한다.

제세동 직전, 가슴압박을 5-10초만 중단해도 제세동 성공률이 감소하므로 충전하는 동안에도 가슴압박을 지속적으로 시행하고 리듬분석과 제세동 직전에만 손을 떼도록 한다. 제세동은 2,000 V 이상의 전기가 가해지기 때문에 본인과 주변인의 안전을 반드시 고려해야 한다. 접착식 패드가 아닌 수동형 패들을 사용할 때는, 적절한 에너지를 선택하고(120-200 J) 충전버튼을 누른 후 패들을 환자 가슴 위에 올리면서 큰 소리로 주변 사람들에게 모두 물러나도록 하고 동시에 접촉한 사람이 없는지 눈으로 확인한 다음 제세동 버튼을 누르도록 한다.

5. 기도유지와 인공호흡

목격자에 의한 기본소생술 이후 소생팀이 도착하여 전문소생술의 단계에 접어들었다 해도 기본소생술의 중요성이 낮아지는 것은 아니다. 전문소생술 중 시행하는 정맥로 확보, 전문기도유지술, 약물 투여 등은 심장정지로부터 생존율을 높이는 데 큰 영향을 미치지 못하는 것으로 알려져 있다. 오히려 기관삽관 등의 전문기도유지기를 사용하는 것은 환기를 촉진시키기 위해서라기보다는, 더 효과적으로 중단 없이 많은 가슴압박을 시행한다는 데에 의미가 있다. 즉, 2분 동안 5주기(150회)의, 가슴압박을 하다가 전문기도기를 삽입하면 2분에 50회 정도가 늘어난 200회 정도의 가슴압박을 제공할 수 있고, 인공호흡을 시행하는 동안에 가슴압박이 중단되는 것을 막을 수 있다. 하지만 많은 경우에서 전문기도유지술과 약물 투여를 위해 가슴압박이 중단되거나 과환기를 하는 것이 관찰된다.

또한 팀 리더는 전문소생술 알고리즘에 따른 치료가 이루어지도록 집중하고 가슴압박의 속도와 깊이, 충분한 이완, 과환기가 되지 않도록 끊임없이 관찰하고 팀원들을 독려한다. 또한 심전도 리듬확인, 다양한 소생술 관련 술기, 처치를 이유로 가슴압박을 중단되는 것을 최소화해야 한다. 가슴압박 시행을 2분마다 교대할 수 있도록 하여 구조자의 피로로 인해 가슴압박의 효율이 감소하는 것을 막아야 한다.

환자 평가

반응 확인, 호흡과 맥박 확인

심장정지로 판단되면

소생팀 호출

가슴압박과 인공호흡(30:2)

제세동기 연결, 필요시 제세동 실시

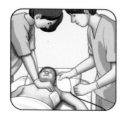

**소생팀이 도착 이후
전문소생술 실시**

6. 소생팀의 병원내 심폐소생술

병원내 심장정지 환자가 발생했을 때 소생팀이 호출을 받고 도착했거나 혹은 현장에 이미 여러 명의 의료진이 있을 경우 팀 리더를 선정하고 팀을 구성하는 것이 중요하다.

이렇듯 병원내 심폐소생술은 여러 명의 의료진이 팀으로 구성되어 각기 다른 역할을 동시에 시행하기 때문에 팀 역동에 더 중점을 둔다. 예를 들어, 첫 번째 팀원이 소생팀을 호출하는 동안 두 번째 팀원은 가슴압박을 시행하고, 세 번째 팀원은 인공호흡을 시행하거나 백마스크를 준비하며, 네 번째 팀원은 제세동기를 찾아 준비한다.

효과적인 팀워크는 업무 부담은 줄여주고 환자 소생의 성공 가능성을 높여준다. 성공적인 소생 치료를 위해서 의학지식과 기술뿐만 아니라, 효과적인 팀워크와 의사소통 기술 또한 필요하다.

1) 팀 리더와 팀원의 역할

모든 소생팀은 팀 전체를 효과적으로 조율할 수 있는 리더가 필요하다. 소생팀의 리더는 오케스트라 지휘자와 비슷한 역할을 해야 한다. 지휘자가 직접 악기를 다루지 않더라도 오케스트라 단원의 각 악기의 음색과 성격을 알고 있어 가장 좋은 소리를 만들어 낼 수 있어야 하듯이 팀 리더는 모든 팀원의 역할을 알고, 전체적인 치료 방향에 맞추어 팀을 이끌 수 있어야 한다. 또한, 팀 리더는 소생치료에 참여하고 있는 팀원들에게 좋은 팀워크와 리더쉽을 보여주어야 한다. 그렇게 하기 위해서 소생 치료가 끝나면 치료 과정과 결과에 대해서 분석하고 토의하여 다음에 있을 소생 치료과정 전반이 개선되는 데 도움이 될 수 있도록 해야 한다.

팀원은 소생팀에서 자기 역할이 무엇인지 분명히 알고, 성공적으로 업무를 수행해야 한다. 평소 교육과 훈련을 통해 소생 술기를 익히고 수행능력을 갖추어야 하며, 배정된 역할에 자신이 없다면 한계를 인정하고 팀 리더에게 알려야 한다.

7. 효과적인 소생팀 운영의 원칙

1) 명확한 역할과 책임

목격자에 의한 기본소생술부터 병원내 전문소생팀에 의한 처치가 시작될 때까지 가장 먼저 해야 할 일은 팀 리더를 누가 맡을 것인가 정하는 것이다. 팀 리더는 통상적으로 심폐소생술의 경험이 많은 의료인이 맡는 것이 효율적이다.

리더는 "저는 OOO소속 OOO입니다. 지금부터 제가 이 소생팀의 리더를 맡겠습니다."라고 분명하게 밝힌다. 처음에 리더를 확실히 정하지 않거나, 정하더라도 팀원들에게 밝히지 않으면 역할 분담과 처치 지시가 중복되거나 상반될 수도 있어 팀원들의 혼란을 초래하거나 효율적인 팀워크를 발휘할 수 없다. 팀 리더는 심장정지 상황을 처음 발견한 간호사 혹은 담당 주치의로부터 환자에 대한 정보와 지금까지의 처치를 정리해서 보고받는다.

소생팀의 모든 팀원은 자기 역할과 책임을 분명히 알아야 한다. 각 팀원의 역할은 퍼즐 조각처럼 다양하게 나누어져 있지만 모두 중요하며, 소생팀의 역할은 '팀 리더, 가슴압박, 기도관리, 모니터링 및 제세동, 정맥로 확보와 약물 투여, 기록 담당'의 6가지로 나눌 수 있다. 하지만 소생팀이 6명보다 적은 경우에는 한 명이 여러 가지 역할을 수행하기도 한다. 그러므로 효율적인 소생팀 운영을 위해 팀 리더는 팀원의 역량에 따라 명확한 역할을 배정하고, 팀원이 자기 역할 이상의 업무를 수행할 수 있는 여유가 있다면 상호간의 의사소통을 통해 협력하게끔 한다. 그리고 팀원이 수동적으로 명령에 따라 수행하지 않고, 능동적으로 소생술에 참여하도록 격려한다.

Cardiopulmonary Resuscitation

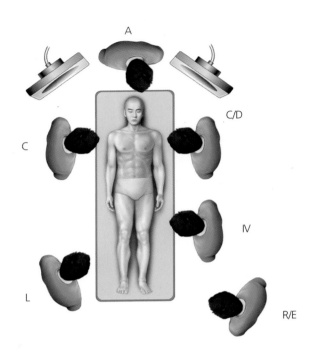

그림 11-2. 소생팀의 역할 및 위치
A: 기도관리, C: 가슴압박, D: 제세동 및 모니터링, Ⅳ: 정맥주사 및 약물투여, L: 팀리더, R/E: 기록 담당

2) 순환형 의사소통

순환형 의사소통은 팀 리더와 팀원 모두에게 중요하다. 팀 리더는 해당 팀원에게 분명한 표현과 언어를 사용하여 의사를 전달해야 한다. 그리고 해당 팀원은 지시 내용을 복창하여 배정된 임무를 정확하게 이해했는지 확인하고 배정된 임무를 시행 후 즉시 팀 리더에게 알려야 한다. 팀 리더와 팀원 모두 알아들을 수 있게 큰 목소리로 의사 전달을 한다. 불분명한 의사소통은 처치를 불필요하게 지연시키고 약물 오류를 일으킨다.

3) 지식과 상황의 공유

팀 성과를 높이려면 팀원 간의 지식을 공유해야 한다. 일차 소생 시도가 효과가 없었다면 팀원과 함께 처음 상황부터 다시 논의해야 하며, 팀원은 팀 리더에게 환자의 상태변화를 알리고 가능한 모든 정보를 바탕으로 판단을 내릴 수 있게 도와야 한다.

4) 건설적인 개입과 조언

팀 리더와 팀원은 약물 종류, 용량, 중재방법 등 소생술이 이루어지는 동안에 처치가 적절하게 시행되고 있지 않다고 판단되거나 다른 의견이 있다면, 서로의 역할에 개입하거나 자신의 의견을 바로 제시하여야 한다. 단, 상대방이 당황하거나 불쾌하지 않도록 의사를 전달한다.

5) 자신의 한계 인정

팀원은 자신의 능력의 한계를 알아야 할 뿐만 아니라, 팀 리더는 팀원의 역량을 파악하고 추가적인 지원을 요청하여야 한다. 팀원들도 상황을 파악하고 팀 리더에게 추가 지원이 필요한 순간이라는 것을 즉시 팀 리더에게 알릴 수 있어야 한다.

6) 요약과 재평가

팀 리더는 주기적으로 환자에 대한 정보를 요약해서 큰 목소리로 팀원들에게 알려준다. 소생 치료 과정을 요약하고 다음 단계에서 할 일을 미리 알려준다. 환자의 상태가 변화한다는 사실을 명심하고 초기 감별진단과 치료 계획도 유연하게 바꿀 수 있어야 한다. 기록을 담당한 팀원에게도 정보를 요약해 말하도록 요청한다.

7) 상호존중

심폐소생술은 환자, 보호자뿐만 아니라 참여하는 의료진에게도 신체적, 심리적 부담이 크고 상당한 노력이 필요한 처치이다. 팀 리더와 팀원은 그들이 지닌 임상적 경험이나 연륜, 직급에 상관없이 서로를 존중해야 한다. 심폐소생술 동안에는 매우 예민해질 수 있으나 특히 팀 리더는 분명하고 차분한 어조를 사용해야 하며 소리를 지르거나 화를 내서는 안 된다. 또한 심폐소생술을 마치고 나서 그 결과가 어떠하든, 팀 리더는 팀원들의 수고를 인정하고 격려하는 것을 잊지 말아야 한다.

★ 효과적인 소생팀 운영의 원칙	
1. 분명한 역할과 책임	5. 자신의 한계 인정
2. 순환형 의사소통	6. 요약과 재평가
3. 지식과 상황의 공유	7. 상호존중
4. 건설적인 개입과 조언	

CHAPTER

12

전문기도기 적용 시(의) 기본소생술

Cardiopulmonary Resuscitation

기관내삽관과 더불어 기관 속으로 관을 넣지 않고 후두에 위치시키는 성대외기구(extraglottic device)가 전문기도유지 방법으로 사용되고 있다. 특히 후두마스크기도기(laryngeal mask airway), 아이겔(i-gel) 기도기, 후두기도기(laryngeal tube airway)는 현재 여러 나라에서 사용되고 있다. 전문기도기를 통하여 인공호흡을 시행하는 것은 충분한 훈련과 경험이 있는 보건의료인들에게만 허용된다. 아직까지 전문기도기의 사용이 심장정지 환자의 생존율을 높인다는 증거는 불충분하므로, 보건의료인은 성인 심장정지 환자에게 심폐소생술을 하는 동안 주변상황, 환자의 상태, 본인의 역량 등을 고려하여 백마스크 또는 전문기도기 적용 중 어느 방법을 선택해도 된다.

성대외기구(extraglottic device)			기관내 튜브 (endotracheal tube)
성대위기구 (supraglottic device)		성대뒤기구 (retroglottic device)	
후두마스크기도기	아이겔 기도기	후두기도기	

그림 12-1. 전문기도기의 종류

129

전문기도기가 적용된 후에는 더 이상 30회 가슴압박과 2회 인공호흡의 주기를 유지할 필요가 없다. 전문기도기가 삽관된 후에는 가슴압박은 분당 100-120회의 속도로 중단 없이 2분간 지속하며, 인공호흡은 6초마다 1회(분당 10회)를 시행한다.

	전문기도기 적용 전	전문기도기 적용 후
가슴압박 속도	100-120회/분	100-120회/분
가슴압박: 인공호흡	30:2	가슴압박: 2분 간 지속 인공호흡: 6초마다 1회(10회/분)

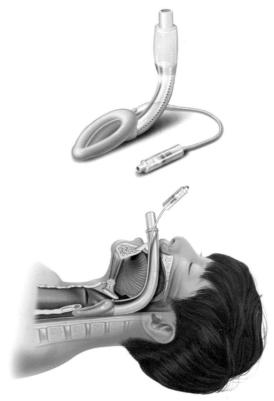

후두마스크기도기 삽관

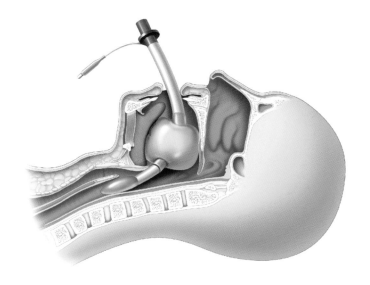

후두기도기 삽관

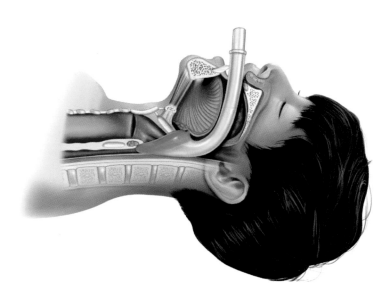

아이겔 삽관

CHAPTER 13

이물질에 의한 기도폐쇄 : 성인 및 소아

이물질에 의한 기도폐쇄는 호흡성 심장정지로 진행될 수 있기 때문에 신속한 응급처치가 필요하다. 환자가 기침소리, 청색증, 심한 호흡곤란, 자신의 목을 움켜잡는 등의 징후(그림 13-1)를 보이면 환자에게 "목에 뭐가 걸렸나요"라고 물어보고(그림 13-1), 환자가 말을 하지 못하고 고개를 끄덕인다면 심각한 상태의 기도폐쇄로 판단하고 즉시 응급처치를 실시해야 한다.

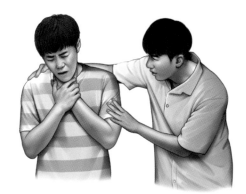

그림 13-1. 기도폐쇄 징후(좌), 기도폐쇄 확인(우)

가벼운 기도폐쇄 증상을 보이고 기침을 하고 있다면 환자의 자발적인 기침과 호흡하기 위한 노력을 방해하지 않도록 한다. 심각한 기도폐쇄의 징후를 보이는 성인과 1세 이상의 소아는 의식유무와 관계없이 즉시 119에 신고한 후 등 두드리기(back blow)를 시행한다. 등 두드리기를 5회 연속 시행한 후에도 효과가 없다면 5회의 복부 밀어내기(하임리히법)를 실시한다(그림 13-1). 기도폐쇄의 징후가

해소되거나 환자가 의식을 잃기 전까지 계속 등 두드리기와 복부 밀어내기를 실시한다.

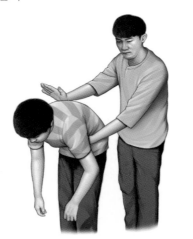

그림 13-2. 등 두드리기(좌), 복부 밀어내기(우)

1세 미만의 영아에서는 복부 밀어내기 방법이 권유되지 않으니 주의해야 한다. 이는 강한 압박으로 인해 복강내 장기손상이 우려되기 때문이다. 또한, 임산부나 고도비만 환자의 경우에는 등 두드리기를 실시한 후에도 이물이 제거되지 않으면, 복부 밀어내기 대신 가슴 밀어내기(chest thrust)를 실시한다.

환자가 의식을 잃으면 바닥에 눕히고 심폐소생술을 실시하도록 한다. 인공호흡을 실시할 때마다 입을 벌리고 입안을 확인하여 이물질을 제거하는데, 이때 이물질이 보이지 않는 상태에서 손가락을 입안에 넣으면 안 된다.

의식이 없는 성인과 1세 이상의 소아에서 손가락 훑어내기(finger sweep)가 도움이 될 수 있는 것으로 알려졌으나 일부 연구에서 환자나 구조자에게 해를 입힐 수 있다는 보고도 있으므로 이물질의 확인 없이 손가락 훑어내기를 시도하는 것은 권고하지 않는다.

만약 교육을 받은 응급의료종사자가 처치를 할 때는 후두경과 마질겸자(Magill forceps)와 같은 기구를 사용하여 이물의 제거를 시도할 수 있다.

1. 의식이 있는 환자의 기도폐쇄 응급처치

① 목에 이물질 유무를 확인한다.

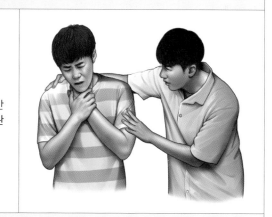

"목에 뭐가 걸렸나요?"

■ 환자가 말을 하지 못하고 고개만 끄덕이거나 표정으로 대답하면 완전 기도폐쇄를 의심한다.

② 등 두드리기 5회를 즉시 실시한다.

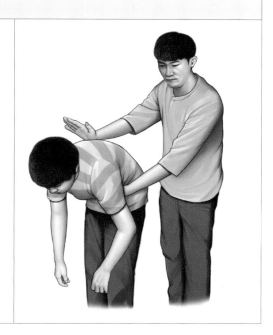

"제가 도와 드리겠습니다."

■ 환자의 옆 또는 뒤에 서서 등 두드리기 5회를 실시한다.

③ 등 두드리기 방법이 효과가 없다면 복부밀어내기를 실시한다.

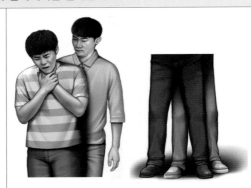

- 환자 뒤에 서서 한쪽 다리를 환자 다리 사이에 넣어 몸이 흔들리지 않도록 지탱하며, 가슴을 환자의 등에 밀착한다.

④ 환자 복부에 주먹을 댄다. 복부밀어내기를 실시한다.

  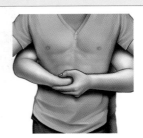

- 배꼽 위치를 찾는다.
- 한쪽 주먹의 엄지와 검지손가락 부분을 환자의 명치와 배꼽 사이 중간에 댄다.
- 나머지 한 손으로 주먹을 감싸 쥔다.

⑤ 복부밀어내기 5회를 실시한다.

- 주먹 쥔 손으로 환자의 복부를 빠르고 강한 동작으로 뒤쪽-위쪽으로 밀쳐 올린다.
- 이물질이 나오거나 환자가 의식을 잃을 때까지 이 동작을 계속 반복한다.
- 환자가 의식을 잃으면, 즉시 심폐소생술을 실시한다.

2. 의식을 잃은 성인/소아의 기도폐쇄 응급처치

"심폐소생술 실시"
- 환자가 의식을 잃으면 구조자는 환자를 바닥에 눕히고 가슴압박부터 시작하는 심폐소생술을 시행한다.

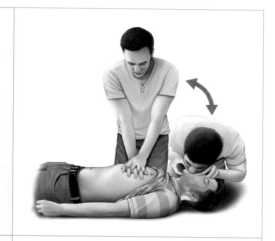

"입안의 이물질 확인"
- 가슴압박 실시 후 인공호흡을 하기 전 입안을 확인하여 이물질이 보이면 손가락 훑어내기(finger sweep)로 제거한다.
- 이물질이 보이지 않는데 손가락을 넣어서는 안 된다.

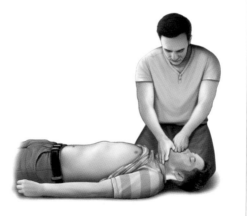

3. 특별한 상황에서의 기도폐쇄 응급처치

1) 가슴 밀어내기(chest thrust) : 임신부, 비만환자의 경우

- 양팔을 앞으로 뻗어, 한쪽 주먹의 엄지와 검지손가락 부분을 환자의 복장뼈(가슴뼈) 중앙에 대고 다른 손으로 감싸 쥔다.
- 주먹 쥔 손으로 환자의 가슴을 빠르고 강한 동작으로 뒤쪽으로 압박한다.

2) 환자와 구조자의 키 차이가 큰 경우

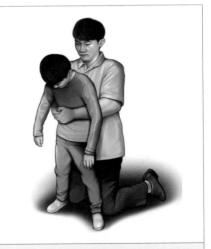

- 환자의 키가 더 클 경우에는 환자를 앉혀서 키를 맞춘다.
- 환자의 키가 작을 경우에는 구조자가 무릎을 꿇어서 키를 맞춘다.

CHAPTER

14

이물질에 의한 기도폐쇄: 영아

신생아와 영아에서 심장정지의 주원인은 호흡부전, 영아 돌연사 증후군 등으로 기도폐쇄의 신속한 인지와 처치는 영아의 생존율을 높이는 중요한 요소이다. 신생아는 출생 후부터 4주까지, 영아는 만 1세 미만(12개월 미만)을 지칭하며, 소아는 만 1세부터 만 8세까지를 말한다.

이물질 흡인에 의한 사망사고 중 90% 이상은 5세 미만에서 발생하며, 이 중 65%는 영아에서 발생한다. 영아의 경우 음식물뿐만 아니라 단추, 동전, 구슬, 장난감 등의 이물질을 입에 넣었다가 삼키면서 기도폐쇄가 유발되는 경우가 많다.

1. 기도폐쇄 증상 및 처치

영아가 기침을 하거나 울음소리를 내는 경우는 기도가 부분적으로 폐쇄된 상태이다. 일반적으로 영아가 흥분하지 않도록 유의하며 편안한 자세를 유지할 수 있도록 한다.

기도폐쇄가 계속 진행되어 영아가 기침, 울음소리를 내지 못하고 얼굴을 포함하여 전신이 파랗게(청색증) 변하는 경우 기도가 완전히 폐쇄된 상태로 이물질을 제거하기 위해 응급처치를 시행하는데, 이때 의식유무와 관계없이 즉시 119에 연락을 한 후 기도폐쇄의 징후가 해소되거나 영아가 의식을 잃기 전까지 응급처치를 반복한다.

표 14-1. 영아의 기도폐쇄 응급처치 방법

1. 기도폐쇄 확인

▶ 기침, 청색증, 울음소리를 내지 못하거나 숨쉬기 힘든 호흡곤란의 징후

2. 5회 등 두드리기

▶ 영아를 구조자의 두 팔 사이에 위치시켜 영아의 몸을 지지하고 들어 올려 영아의 얼굴이 아래로 향하도록 돌린다.

▶ 한쪽 팔로 영아의 몸을 지지하고 손으로는 영아의 입을 막거나 목을 조르지 않도록 주의하며 얼굴과 턱 부위를 잡는다.

▶ 영아의 머리를 가슴보다 낮게 위치시키고, 양 어깨뼈(견갑골) 사이를 강하게 5회 내려친다(1회에 약 1초).

3. 5회 가슴압박

▶ 두 팔 사이에 영아를 위치시킨 후 그대로 들어올려 얼굴이 위로 향하도록 돌린다.

▶ 한쪽 팔로 영아의 등을 지지하고 손으로는 영아의 목뒤의 윗부분을 잡아준다.

▶ 머리를 가슴보다 낮게 위치시키고, 양쪽 젖꼭지를 잇는 가상선과 가슴뼈가 만나는 지점 바로 아래를 손가락 2개를 나란히 붙여 강하게 5회 압박한다(1회에 약 1초).

※ 영아는 성인에 비해 간이 상대적으로 크고 쉽게 손상 받을 수 있으므로, 영아에게 복부 밀쳐올리기법(하임리히법)을 시행하지 않는다.

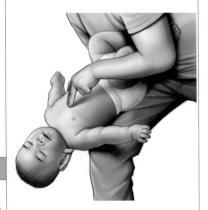

4. 등 두드리기와 가슴압박 반복시행

▶ 의식을 잃거나 이물질을 뱉어 낼 때까지 시행

※ 등 두드리기와 가슴압박은 서 있는 자세에서 구조자의 한쪽 허벅지 위에 영아를 지지하고 있는 팔을 위치시킨 후 시행할 수도 있고, 구조자가 무릎을 꿇고 앉거나 또는 의자에 앉은 자세에서도 같은 요령으로 시행할 수 있다.

Cardiopulmonary Resuscitation

의식을 잃은 영아의 기도폐쇄 응급처치 방법	
5. 가슴압박	
▶ 기도폐쇄 응급처치 중에 영아가 의식을 잃으면, 즉시 심폐소생술을 시작한다. 분당 100-120회 속도로 가슴압박을 30회 시행한다. (1인 구조자인 경우)	
6. 기도열기와 인공호흡	
▶ 한 손으로 머리를 기울이고 다른 한 손으로 턱을 들어올려 기도를 유지하고, 인공호흡을 시행한다. (머리 기울이기-턱 들어올리기로 머리를 중립 위치로 유지)	
▶ 인공호흡을 시도할 때에 입안을 관찰하여, 이물질이 보이면 조심스럽게 제거한다. (처음 한번만)	
▶ 이물질이 보이지 않으면, 바로 인공호흡을 2회 시행한다.	
7. 가슴압박과 인공호흡 반복	
▶ 의식이 깨어나거나 구급대원에게 인계될 때까지 가슴압박과 인공호흡을 반복한다.	

표 14-2. 영아의 기도폐쇄 예방법

1. 작은 부분으로 분해되기 쉬운 장난감을 주지 않는다.
2. 음식물을 너무 빨리 먹지 않도록 한다.
3. 음식물을 먹을 때는 의자에 앉아서 먹도록 한다.
4. 영아가 씹기 쉽도록 음식물을 조그맣게 잘라서 준다.
5. 영아의 손이 닿는 곳에 단추, 동전, 구슬 등과 같은 작은 물체를 두지 않는다.
6. 땅콩, 포도, 방울토마토, 팝콘 등과 같이 삼키기 쉬운 음식물을 영아에게 주지 않는다.

CHAPTER

15

전화도움 심폐소생술

'전화도움 심폐소생술'이란 신고를 받은 119의 구급상황(상담)요원의 지도를 받아서 하는 심폐소생술이다. 심장정지를 처음 목격하는 일반인은 심장정지 상태라고 판단하기 어렵고, 또 심폐소생술 교육을 받았더라도 적절한 심폐소생술을 시행하기까지 시간이 지체될 수 있기 때문에 신고를 받은 구급상황(상담)요원은 전화로 환자의 상태를 파악한다. 환자가 의식이 없고 무호흡 또는 비정상 호흡을 보인다면 심장정지로 간주하고 가슴압박소생술을 목격자가 실시할 수 있도록 전화상으로 지도한다. 이와 같이 전화도움 심폐소생술을 하게 되면 일반인이 현장에서 심폐소생술을 시작할 확률이 높아지고, 심장정지로부터 심폐소생술을 시작하기까지의 시간이 짧아지며, 더 효과적인 심폐소생술을 할 수 있다. 따라서 구급상황(상담)요원은 '전화도움 심폐소생술'의 중요성을 이해하고, 지도하는 방법에 대해 교육을 받아야한다. 교육 내용에는 비정상 호흡을 알아내는 방법, 심장정지 호흡이 심장정지를 의미한다는 것, 경련 발작이 심장정지의 첫 증상일 수 있다는 것, 그리고 가슴압박소생술을 지도하는 방법 등을 포함한다.

1. 구급상황(상담)요원의 강화된 역할

구급상황(상담)요원의 역할은 단순히 신고를 받고 구급대원을 현장으로 출동시키는 데에 국한되지 않으며, 목격자가 심장정지를 인지하고 구급대원이 현장에 도착할 때까지 심폐소생술을 하도록 지도해야 한다. 2020년 가이드라인의 구급상황(상담)요원이 응급호출전화 통화로 심장정지 여부를 판단할 수 있는 표준 알고리즘을 사용하도록 권고하였으며, 2015년과 비교하여 변경된 내용은 다음과 같다.

2020년 기본소생술 가이드라인 구급상황(상담)요원의 강화된 역할은 다음과 같이 요약할 수 있다.

> **2020년 기본소생술 가이드라인 구급상황(상담)요원의 강화된 역할**
> - 성인 심장정지 환자의 생존율을 높이기 위해서는 지역사회에서 구급상황(상담)요원이 사용할 수 있도록 응급의료체계에 심폐소생술 지원체계를 갖추어야 한다.
> - 신고자가 성인 심장정지 환자에게 심폐소생술을 시행하도록 구급상황(상담)요원이 도와주는 것은 심장정지 환자의 생존에 효과적일 수 있다.
> - 구급상황(상담)요원이 응급호출을 받았을 때 환자가 심장정지 상태인지를 신속하게 판단하기 위해 표준화된 알고리즘과 기준을 사용할 것을 권고한다.

2. 구급상황(상담)요원의 심폐소생술 지도

구급상황(상담)요원이 응급 호출을 받았을 때 환자가 심장정지 상태인지를 신속하게 판단하기 위해 적용할 표준화된 알고리즘에서 신고자에게 확인해야 할 사항은 '반응 유무'와 '호흡의 정상 여부'이다. 구급상황(상담)요원은 환자가 의식이 없으면서 호흡이 없거나 비정상 호흡일 때 심장정지 상태라고 판단하기를 권고한다. 또한 표준화되고 의학적으로 승인된 '전화도움 심폐소생술'의 시행을 지도해야 하며, 이를 통해 현장의 일반인이 응급의료종사자가 도착하기 전까지 심폐소생술을 시행할 수 있도록 도와주어야 한다(그림 15-1).

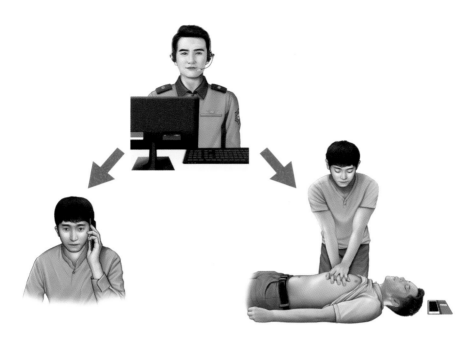

그림 15-1. 구급상황(상담)요원 지시에 의한 심폐소생술

3. 휴대전화의 스피커폰 또는 핸즈프리 기능의 활성화

구급상황(상담)요원은 신고자가 심폐소생술을 전혀 배우지 않았거나 하는 방법을 잊은 경우라면 휴대전화의 '한뼘 통화' 또는 '스피커 통화'로 전환하거나, 핸즈프리 기능을 활성화할 수 있도록 한다(그림 15-2).

그림 15-2. 스피커폰 또는 핸즈프리 기능의 활성화

4. 병원밖 심장정지 기본소생술(일반인 구조자)

구급상담(상황)요원은 신고한 일반인에게 가슴압박소생술을 지도하거나, 인공호흡을 교육받았고 시행할 의지가 있다면 30:2로 가슴압박과 인공호흡을 시행하도록 지도하고, 구급대가 도착할 때까지 통화상태를 유지하도록 한다.

CHAPTER

16

코로나19 유행과 관련된 고려사항

심폐소생술을 시행할 때는 환자와 구조자의 접촉을 피할 수 없기 때문에 감염 전파의 가능성이 존재하며, 심폐소생술을 시행한 구조자가 사스(SARS), 메르스(MERS), 중증 열성 혈소판감소 증후군(SFTS) 등에 감염된 사례가 실제로 보고되었다.

감염병 유행 시기에는 구조자가 감염의 우려 때문에 심폐소생술을 시행하는 것을 꺼릴 수 있지만, 심폐소생술에 포함된 술기의 종류에 따라 감염전파의 위험도는 차이가 있으며, 적절한 보호장구를 착용하는 등의 예방 조처를 한다면 감염에 대한 우려 없이 심폐소생술을 시행하여 심장정지 환자의 생존을 보장할 수 있다.

1. 감염전파 기전과 보호장구

1) 코로나19 바이러스(SARS-CoV-2)의 주된 전파 기전

: 감염성 호흡기 분비물(비말)이 환자로부터 직접 전파되거나, 오염된 물체에 접촉하여 전파됨.

- 호흡기 분비물: 지름 5-10 μm의 비말과 그 이하의 공기 부유 입자로서, 비말은 환자의 1-2 m 이내의 물체에 오염되어 72시간 정도까지 생존 가능, 공기 부유 입자는 상당 기간 공기 중에 떠다닐 수 있음.

현재까지 코로나19 바이러스의 특성이 명확히 규명되지 않았으나, 에어로졸 상태로 3시간, 천과 나무에서 1일, 유리에서 2일, 스테인레스와 플라스틱에서 4

일, 의료용 마스크 겉면에서 7일까지 생존할 수 있는 것으로 보고되었다.

이런 감염성 호흡기 분비물이 구조자의 호흡기 점막이나 결막 등에 접촉하여 감염이 전파되므로, 이를 차단하기 위해 보호장구를 착용하는 것이 감염 예방을 위해 중요하다.

2) 보호장구

: 일반적으로 전신 가운, 장갑, 마스크, 고글(보안경)을 착용함으로써 직접적인 비말 전파에 의한 감염을 예방 가능하며, 비말보다 작은 공기 부유 입자를 차단하기 위해서는 N 95(또는 KF 94 이상) 마스크가 필요하다.

현재까지의 근거로는 가슴압박 또는 제세동 자체만으로는 감염 전파의 위험을 증가시키지 않는다고 간주할 수 있다. 그러나 인공호흡과 같이 환자의 입을 열어야 하는 술기는 비말 생성이 가능한 술기로 생각해야 한다.

2. 감염 또는 감염 의심환자에 대한 기본소생술 순서

심폐소생술을 시행하는 의료종사자는 개인보호장구의 착의, 탈의에 대한 훈련을 받고 적절한 장비를 받을 수 있어야 한다. 코로나 유행 시기에도 의료종사자들은 가슴압박과 인공호흡을 30:2로 반복하는 표준 심폐소생술을 시행하는 것을 권장하며, 감염으로부터의 적절한 보호를 위해 공기 전파를 차단할 수 있는 마스크(KF 94 이상), 일회용 장갑, 일회용 방수성 긴팔 가운, 고글(또는 안면 마스크) 등을 포함한 개인보호장구를 착용할 것을 권장한다.

시뮬레이션 연구에 의하면 N 95 마스크를 착용하면 구조자의 피로도가 증가하고 가슴압박의 품질이 저하된다고 한다. 따라서 가능하면 기계식 압박 장치를 사용하거나 필요하면 가슴압박 시행자의 교대 주기를 2분보다 단축하도록 한다.

인공호흡은 백마스크를 사용하되 가능하다면 헤파필터(High Efficiency Particulate Air Filter: HEPA)를 연결한다. 백마스크는 두 손을 이용하여 환자의 얼굴에 밀착시켜야 하기 때문에 이를 위해서는 두 명 이상의 구조자가 필요하다.

인공호흡을 할 때는 비말 생성을 줄이기 위해 가슴압박을 멈추도록 한다. 백마스크 사용이 익숙하지 않거나 인공호흡의 시행을 원하지 않을 때는 산소마스크를 환자의 얼굴에 올려 둔 상태로 가슴압박 소생술을 시행할 수 있다.

환자를 병원으로 이송할 때에는 가능하다면 음압형 구급차 또는 음압이 유지되는 이송 장비를 사용하는 것을 권장한다. 심폐소생술 및 이송을 마친 후에는 국가 방역 수칙에 따라 개인위생 및 구급차 소독 등 감염 방지를 위한 조치를 시행한다.

개인보호장구의 탈의는 탈의 과정에서 구조자의 신체가 오염되지 않도록 원칙을 준수하여 매우 신중하게 수행해야 하며, 탈의의 매 단계마다 손 씻기를 반복해야 한다.

※개인보호장구 착탈의 과정은 질병관리청 홈페이지를 참조한다.

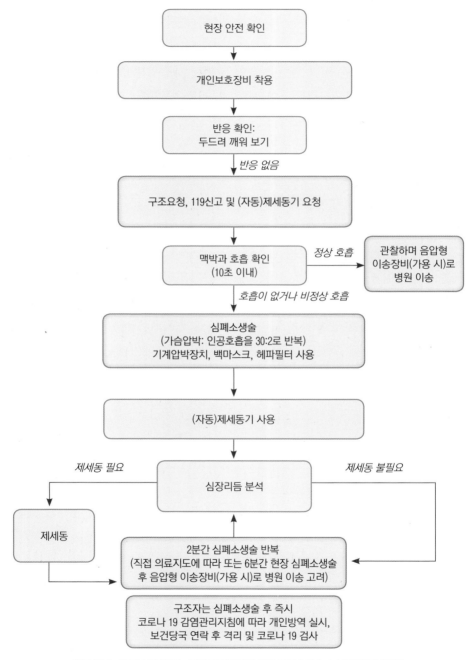

그림 16-1. 코로나 감염 또는 감염 의심환자에 대한 기본소생술 순서(의료종사자용)